Carlos D. Perales

Síntesis

Teoría y práctica en Max MSP

© Copyright 2018 by Carlos D. Perales
www.carlosdperales.es

© Edición autorizada para todos los paises a:

IMPROMPTU EDITORES, S.L.

C/. Alqueria de Raga, 9 - 46210 Picanya (España)

email: info@impromptueditores.com

www.impromptueditores.com

I.S.B.N.: 1ª Ed. 1ª Imp. 978-84-948369-6-1 (2018)
            1ª Ed. 2ª Imp. 978-84-948369-6-1 (2020)

Depósito Legal: V-1994-2018

Imprime: gràfiques **vimar**
            www.vimar.es Tel. 96 159 43 30

Prólogo

Como bien menciona Carlos D. Perales en la introducción de este libro, el origen del sintetizador se remonta a los inicios del siglo XX. Sin embargo, la historia de la creación sonora a partir de una computadora (síntesis digital) que utiliza un software diseñado específicamente para esta tarea, debió esperar hasta 1957 con la creación del software MUSIC I, desarrollado por Max Mathews en una IBM 704 en los Laboratorios Bell[1]. Ese acontecimiento, quizá insospechadamente, cambió la manera en que componemos música en la actualidad.

Hoy en día utilizamos diversos tipos de software para crear arte sonoro, tanto la música popular como la académica, las instalaciones multimedia y otras expresiones actuales, hacen uso de editores de partituras, grabadores, mezcladores, editores de audio, masterizadores, reproductores, interfaces que utilizan sensores, etc., sin importar el estilo abordado.

Dentro de este universo de recursos digitales, contamos con un software llamado Max[2] (en honor al mencionado Max Mathews) que permite crear cualquier tipo de interfaz capaz de manipular señales de audio, MIDI, video, OSC y otras; permitiendo no sólo implementar plataformas interactivas sino también sistemas de creación interactivos en sí mismos[3].

El presente libro no sólo es fundamental sino también muy esperado por muchos usuarios de habla hispana que no cuentan con material bibliográfico en español que aborde las técnicas de síntesis digital de sonido. Considero que puede leerse como una feliz continuación de mi libro "Max/MSP: guía de programación para artistas"[4] ya que este último introduce al lector en los rudimentos del uso de ese software, pero no aborda de manera profunda la

---

1 Roads, C. 1989. An interview with Max Mathews. In C. Roads (ed.) The Music Machine. Cambridge, MA: MIT Press.

2 www.cycling74.com

3 David Zicarelli en el prólogo de Colasanto, F. 2010. "Max MSP: Guía de programación para artistas.". Centro Mexicano para la Música y las Artes Sonoras. www.cmmas.org. Morelia, México.

4 Ibídem.

implementación, a través de Max, de dichas técnicas, como lo hace el libro de Perales.

Por lo tanto, estoy seguro que la edición de "Síntesis: teoría y práctica en Max/MSP" de Carlos D. Perales, no sólo permitirá profundizar en los conocimientos que el lector tenga sobre Max, sino que ayudará también a acceder de una manera amena y fluida al estudio de las técnicas de síntesis digital de sonido a través de ejemplos claros, didácticos e interactivos.

Gracias Carlos por tu preciado aporte.

Francisco Colasanto
Morelia, México, julio de 2018

Presentación

El presente libro está pensado y diseñado para introducirse en la síntesis digital a través de Max MSP o viceversa. Al mismo tiempo que se explican los diferentes tipos de síntesis y sus principios teóricos, se va ahondando en los recursos que ofrece esta herramienta digital mediante la explicación detallada de ejemplos prácticos.

El contenido de este libro no tiene un alto perfil científico o matemático, sin embargo sí se requiere algo de conocimiento en audio digital y un manejo básico del entorno de Max MSP. En cualquier caso, cada uno de los objetos empleados tienen una detallada documentación de ayuda en el propio programa que podría completar la explicación de los ejemplos propuestos.

En este libro se abordarán los siguientes tipos de síntesis: aditiva, sustractiva, AM, FM, vectorial, tabla de ondas, FFT, retardo temporal, modelos físicos, granular, concatenativa y dos capítulos finales, donde se recogen la mayoría de los procesos estudiados para el diseño de sistemas autogenerativos y secuenciación.

Los ejemplos han sido realizados en abril de 2018 en la versión 7.3.5 de Max MSP. www.cycling74.com

Índice

¿Qué es síntesis?

Desde el punto de vista semántico, la palabra síntesis es definida como "composición de un todo por la reunión de sus partes", así pues, cuando lo hacemos en el campo del sonido podríamos decir que es el proceso mediante el cual se puede obtener sonido a partir del diseño de sus componentes, bien de manera analógica (variaciones de voltaje) o bien en el dominio digital (muestreo y cuantificación de ondas sonoras mediante lenguaje binario en el ámbito de la computación).

Img. 1. Gazpacho como síntesis culinaria.

Breve historia

A partir del año 1900 surgieron varios instrumentos musicales electrónicos, entre ellos *Telharmonium* (1900), el Audiómetro (1920), el *Theremin* (1928), las Ondas Martenot (1928) – como primer instrumento electrónico controlado por un teclado, similar a un piano. Más tarde vendrían el *Trautonium* y el *Voder* (sintetizador de voz humana, año 1939) que son los auténticos precursores de los sintetizadores surgidos en 1955, MARKI y MARKII desarrollados por la empresa RCA. Estos no eran controlados por un teclado, sino que el sonido era decodificado de una cinta de papel perforada y codificada previamente por un compositor. Más adelante, con la invención de los VCO (*Voltage-Controlled Oscillator*), los VCF (*Voltage-Controlled Filter*) y los VCA (*Voltage-Controlled Amplifier*) por parte de la empresa Moog, surge el primer sintetizador modular controlador por un teclado (1964).

Img. 2. MARKII y Robert Moog.

En realidad, se trataba de producir sonidos complejos con al menos la riqueza de los instrumentos acústicos, emulando así el comportamiento de sus partes a través del tiempo (envolvente dinámica) y pudiendo llegar a conseguir timbres desconocidos hasta el momento.

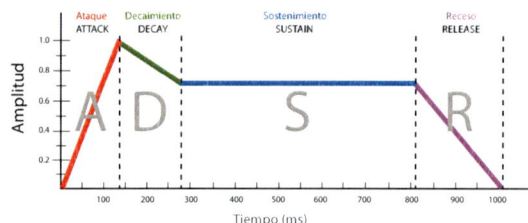

Img. 3. Envolvente dinámica ADSR.

En la imagen 3 vemos una envolvente típica, o diseño temporal, referida en este caso a la amplitud de un sonido cualquiera. Este diseño podría ser utilizado para definir o controlar otros parámetros: frecuencia, timbre, etc., o como vemos en la imagen 4, controlar el comportamiento del espectro armónico.

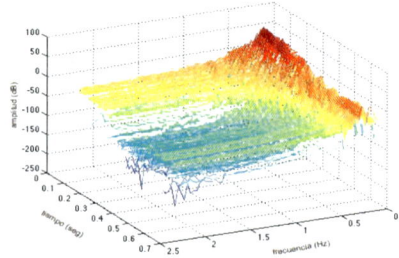

Img. 4. Análisis espectral en 3D de un sonido complejo.

Síntesis analógica modular

Los sintetizadores modulares son dispositivos electrónicos formados por módulos intercambiables y combinables que permiten generar un sonido a partir de la combinación de elementos simples que no existen fuera de los circuitos del dispositivo o del código del programa (señales periódicas o funciones matemáticas…).

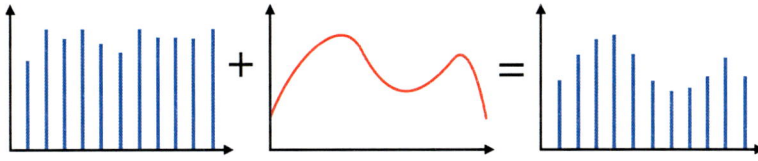

Img. 5. Modulación de intensidad armónica.

Los fabricantes suelen permitir la configuración de estos módulos, pudiendo añadir o eliminar ciertas partes, modificando así el enfoque de su sistema, dependiendo de sus gustos y objetivos musicales.

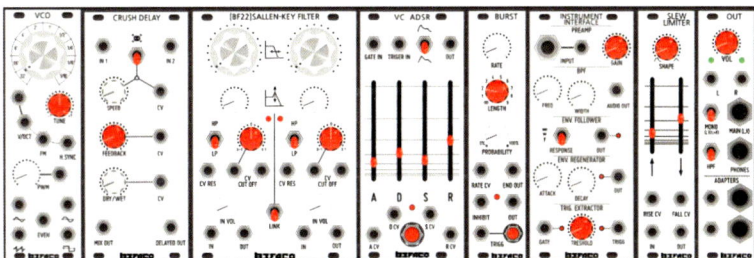

Img. 6. Esquema de módulos Befaco.

Visto que este tipo de sintetizadores se construyen a partir de módulos, veamos los tipos de módulos que podemos encontrar. Los principales para la construcción de un sintetizador modular serían: **VCO, VCA, VCF, EG y/o LFO**. Además, se pueden encontrar módulos de efectos, secuenciadores, *logic gates*, módulos *Sync* (de MIDI a CV), *glides*, *re-triggers* y un largo etcétera de módulos.

- **VCO:** Corresponde al oscilador controlado por voltaje que genera diversos tipos de onda: sinusoidal, sierra, cuadrada, etc., o diferentes tipos de ruido. Este módulo es el encargado de generar una nota a una frecuencia concordante a la tecla que hayamos tocado en nuestro teclado o que seleccionemos en el propio módulo a través de la selección de la frecuencia.

- **LFO:** Corresponde a un oscilador de baja frecuencia (*low frequency oscillation*), frecuentemente por debajo de 20 Hz. Este oscilador se utiliza para alterar de una manera periódica cualquier otro módulo. Si afecta al oscilador principal produciría el *vibrato*.

- **VCA:** Corresponde al amplificador controlado por voltaje. Este amplificador es el que aumenta la amplitud de la onda (recordemos que todas estas ondas son eléctricas, es decir, hasta que no pasa por un altavoz no se transforma en "algo" audible).

- **EG:** Corresponde al generador de envolventes (*envelope generator*). Cuando se toca una tecla, se dispara una señal que llega a este, que provoca una tensión para controlar la onda del amplificador. Al controlar la onda del **VCA** provoca la generación de lo que se denomina **ADSR** (*Attack, Decay, Sustain y Release*). Aunque también podemos encontrar otras variantes, como el **AHDSR** (*Attack, Hold, Decay, Sustain, Release*), este tipo de envolvente la podemos encontrar en los famosos sintetizadores Korg MS-20.

- **VCF:** Corresponde a los filtros. El filtro recorta armónicos de la onda que genera el oscilador, antes de pasar por el VCA. Como veremos en el apartado 2, existen muchos tipos de filtros como, por ejemplo: **HP** (pasa altos)**, BP** (pasa banda), **Comb** (filtro peine), etc.

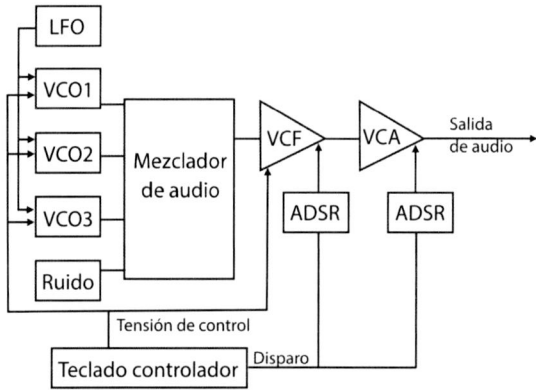

Img. 7. Esquema gráfico de un sintetizador básico.

Como vemos en la imagen 7, los módulos pueden conectarse entre sí para poder modularse los unos a los otros.

Clasificaciones

Varios han sido los autores que han querido agrupar los distintos procesos de síntesis bajo categorías diferentes. Como podemos ver en la siguiente imagen, en la taxonomía de Smith (1992) se recogen bajo diferentes criterios: tiempo, espectro, métodos, etc.

Time Domain Methods	Spectral Models (Frecuency Domain)	Physical Models	Abstract Methods
Sampling Concrète Granular Scanned Synthesis	Additive Phase Vocoder Sinusoidal (MQ/PARSHL) SMS (Smith & Serra) Substractive Source-filter (LPC) UPIC (Xenakis) FOF / FOG / PSOLA	Waveguide Finite Element (CORDIS- ANIMA) Karplus-Strong Modal	FM AM Waveshaping Analog simulation (VCO, VCA, VCF) Chaotic systems
Wavetable Particles (Roads) Concatenative Audio Mosaicing (MPEG-7)			
Physically Informed Sonic Modeling (PhISM)			

Img. 8. Taxonomía de Julius Smith.

Otros autores utilizan también criterios como: concreta vs. abstracta; abstracta, modelos físicos, modelos espectrales; lineal vs. no lineal (Moore, 1990); de grabación - de transformación (de Poli, 1983); aditiva, tabla de ondas, modulación, modelos físicos, segmento, gráfica, estocástica (Roads, 1996); o añadiendo perturbativas o no perturbativas en (Dodge y Jerse, 1997), etc.

Formas de onda

Desde que Jean-Baptiste Joseph Fourier (1768-1830) promulgara su célebre teorema, sabemos que cualquier sonido puede descomponerse en una suma más o menos compleja de ondas simples (senoidales o sinusoidales). Así pues y como mencionamos anteriormente, además del comportamiento temporal de estas, el diseño de las intensidades de cada una de sus partes determina el tipo de onda resultante.

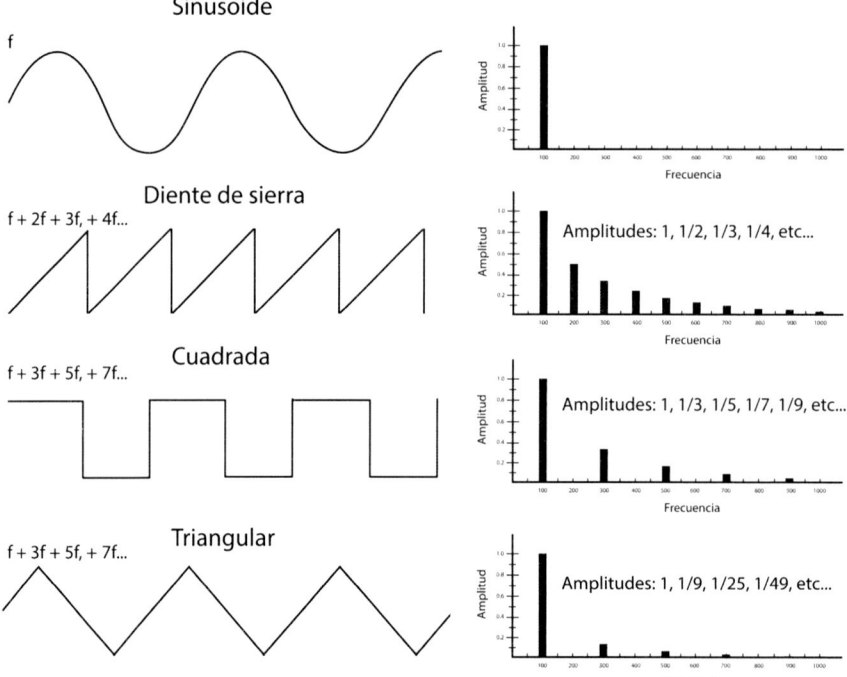

Img. 9. Tipos de onda según la adición de frecuencias múltiplos a una frecuencia fundamental con sus diferentes ratios de intensidad.

Síntesis digital en Max MSP

En este libro vamos a indagar en los recursos que ofrece Max MSP para la creación de sonidos sintéticos a través de las diferentes técnicas de síntesis: aditiva, sustractiva, AM, FM, vectorial, tabla de ondas, FFT, retardo temporal, modelos físicos, granular, concatentiva y dos capítulos finales donde se recogen la mayoría de los procesos estudiados para el diseño de sistemas autogenerativos y secuenciación.

1. Aditiva

Es la más sencilla de todas. Funciona añadiendo sonidos a uno original, de modo que puedan tener relación armónica o no, ascendente o descendente y con igual o diferente forma dinámica (envolvente) en el tiempo.

En este caso creamos un sonido formado por una frecuencia aleatoria a la que le añadimos (en valores MIDI) la 3ª mayor (+ 4) y la 5ª justa (+ 7) superior para conseguir un acorde perfecto mayor que viajará de una posición a otra gracias a la utilización del objeto *line~*, que está gestionando también rampas aleatorias temporales entre 1000 y 5000 ms (vemos como hay un cable que sube hacia la entrada derecha del *metro* para sincronizarlo). El sonido de la tercera es una onda triangular, y el de la quinta será una cuadrada.

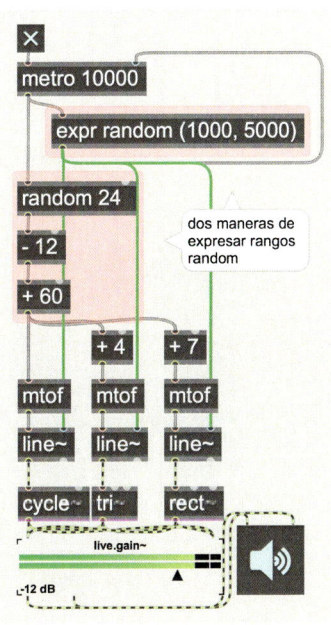

Img. 10. *Patch* Aditiva1.

En este ejemplo vemos dos maneras diferentes de obtener rangos aleatorios (*random*). En un caso utilizamos el versátil objeto *expr* añadiendo el rango *random,* que definimos entre paréntesis. En el segundo caso usamos un rango *aleatorio* que comprende los valores 0 y 24 (25 valores en total), después alteramos el offset (punto de inicio) restando 12, y después sumamos 60. Al final tenemos valores comprendidos entre el 48 y el 71.

___2___

En siguiente ejemplo vemos el objeto *kslider* que reacciona (si tenemos un teclado MIDI enchufado) o ejecuta (si hacemos clic sobre las notas) la altura y la intensidad MIDI que llegará al objeto *mtof* para definir la altura de las formas de onda que tenemos debajo. En este caso hemos preparado cuatro tipos de onda que se pueden seleccionar con el objeto *selector~* y la ayuda del objeto *umenu*. Para poder diseñar la envolvente dinámica usamos el objeto *function*, que junto con el mensaje "*setdomain*" definimos el tiempo en el que se producirá este dibujo temporal de intensidad.

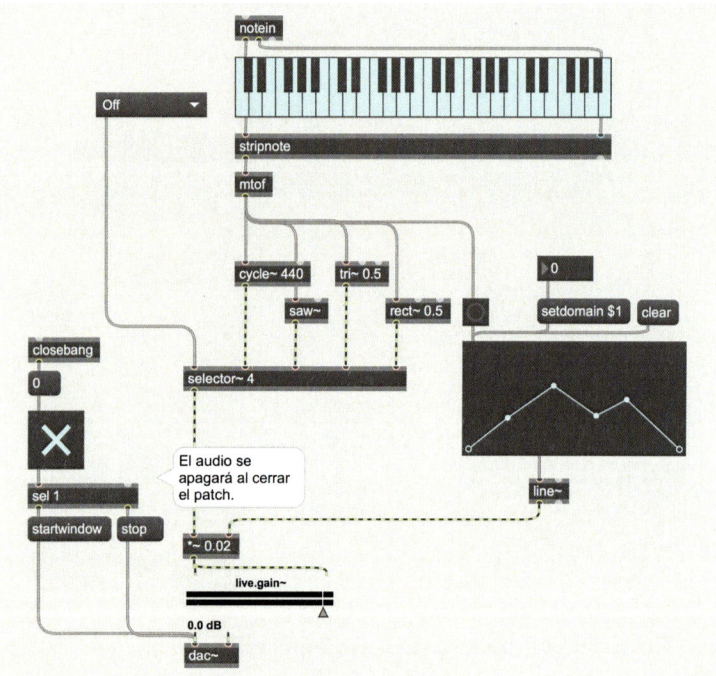

Img. 11. *Patch* Aditiva2.

En el objeto *umenu* hemos escrito las diferentes formas de onda que hemos unido al objeto *selector~*. Hemos colocado un multiplicador previo al control de ganancia de 0.02, así evitamos que las formas de onda con más componentes armónicos (diente de sierra o cuadrada) saturen la salida al DAC. El objeto *stripnote* nos garantiza que no tendremos *bangs* cuando soltamos una nota en nuestro teclado (note Off). Este *patch* no tiene nada de aditiva, pero nos va a servir como punto de inicio para la creación de otros más complejos ;)

3

En el siguiente ejemplo hemos encapsulado el selector de ondas que hicimos en el *patch* anterior y los hemos conectado todos a la salida final para poder elegir una mezcla de tres sonidos diferentes. Cada uno tiene su propia ventana de diseño dinámico. También hemos colocado el objeto *preset* para poder almacenar las pruebas que vamos obteniendo.

El objeto * nos servirá para insertar un coeficiente de multiplicación y así poder definir la relación armónica de la segunda y tercera onda con respecto a la frecuencia fundamental.

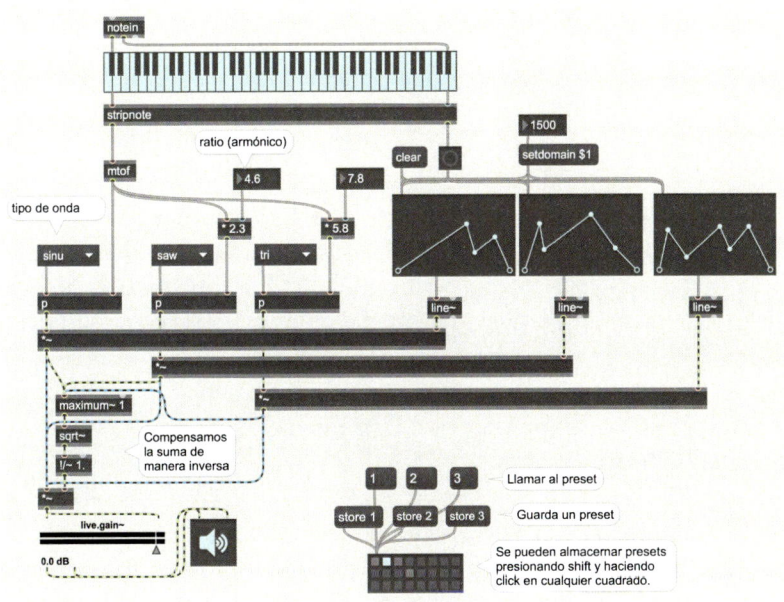

Img. 12. *Patch* Aditiva3.

Como vemos en el *patch* principal hemos compensado la suma de las tres señales antes de sacarlas al ADC (*analogic to digital converter*), ya que la amplitud de una sola señal oscila entre -1 y 1, y por tanto, si vamos añadiendo señales tendríamos que ir bajando el objeto *live.gain* (*slider* con visor de intensidad) cada vez que sumemos una más. De este modo, y mediante una simple operación de cálculo inverso compensamos esta adición. Con el objeto *maximum~ 1* obtenemos el valor de la señal que excede de 1, le hacemos la raíz cuadrada con el objeto *sqrt~* y calculamos su inversa con el objeto *!/~* (dividiendo 1 entre el resultado).

Vemos en la siguiente imagen lo que se encuentra dentro de los *subpatches* "p". Mediante el objeto *selector~* podemos elegir cuál de las 4 señales que le hemos conectado sale por su *outlet* (salida).

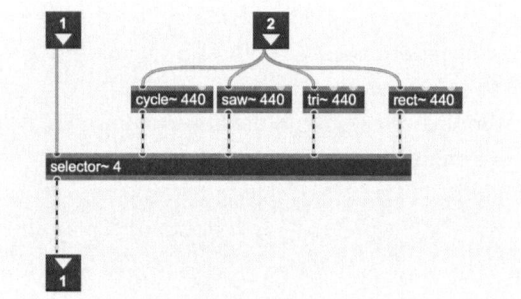

Img. 13. *Subpatch* Aditiva3.

_4

En el siguiente ejemplo vamos a conocer el objeto *poly* antes de abordar su homónimo de audio, el objeto *poly~*. El objeto *poly* está diseñado para gestionar polifonía y poder alojar varias voces para luego repartirlas a diferentes instancias. Como vemos en la imagen 14, podemos definir las voces con las que queremos trabajar (si no ponemos ningún argumento viene establecido por defecto en 16), y el segundo argumento (*steal*) es para definir si queremos que al llegar una voz extra (5, en nuestro caso) esta pueda salir ocupando el lugar de la más antigua (1), "robándole" así su sitio.

Mediante el objeto *route,* al que estamos accediendo previo empaquetamiento de una lista: nº de voz + MIDI *pitch* (ej: 1 65 = voz 1, altura 65), llegamos al conversor de MIDI a frecuencia (*mtof*), y así definir la altura de la sinusoide (*cycle~*). Para la gestión de la intensidad utilizamos de nuevo el objeto *poly* que nos ofrece la intensidad de la tecla pulsada por la tercera salida. Así mismo, empaquetamos el nº de voz y la intensidad (*velocity*) y la mandamos a un divisor (*/ 127.*) para convertir en valores decimales entre 0 y 1. De este modo podemos mandar (otra vez utilizando el objeto *pack*) un mensaje para interpolar cualquier valor que le llegue desde el anterior en 50 milisegundos.

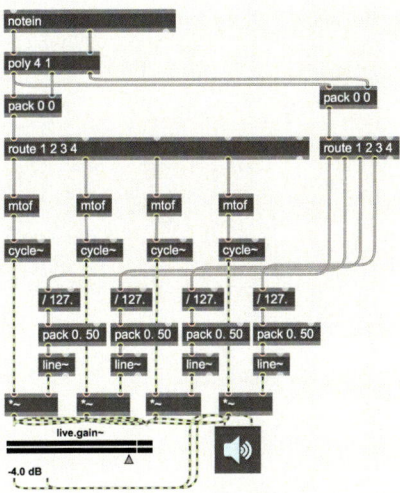

Img. 14. *Patch* Aditiva4.

_5

En el siguiente ejemplo nos vamos a aprovechar de la arquitectura del objeto *poly~* para poder tener instancias (copias) de un proceso de señal tantas veces como queramos sin tener que duplicarlas.

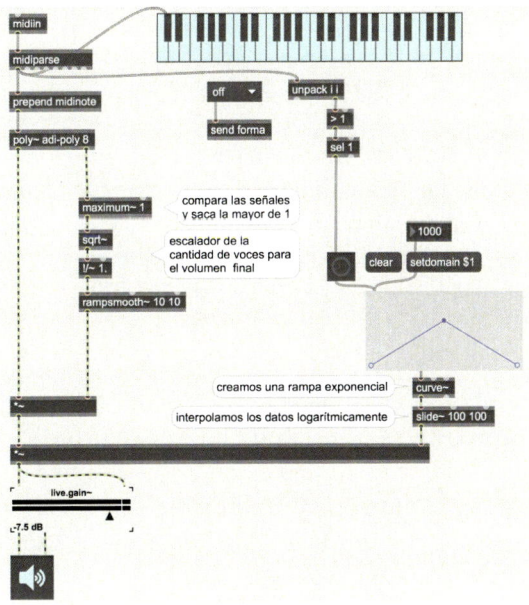

Img. 15. *Patch* Aditiva5.

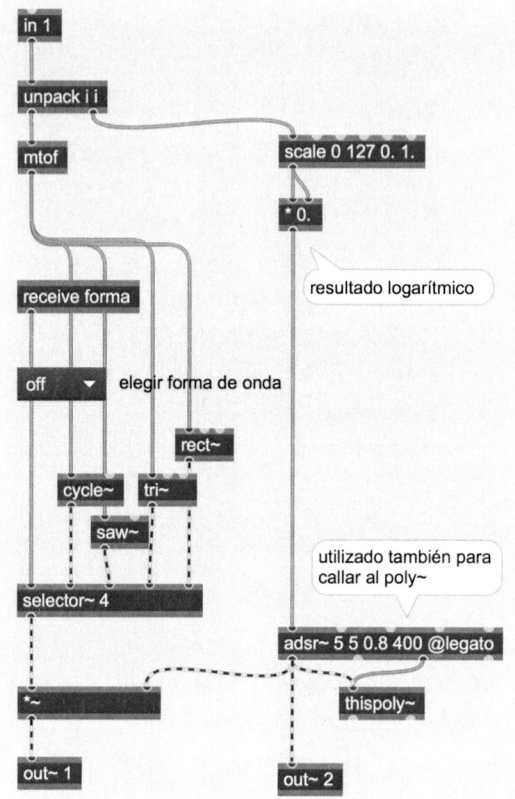

Img. 16. *poly~* Aditiva5.

Dentro del objeto *poly~* utilizaremos el mismo selector de formas de onda para elegir nuestros sonidos (de momento van a ser iguales para todas las instancias). Usaremos también el objeto *adsr~* para definir la envolvente dinámica (tiempos para ataque, decaimiento, sostenimiento y receso) y además *mutear* cualquier instancia que deje de estar operativa (objeto *thispoly~*), economizando así recursos de CPU.

Al igual que hemos hecho en el ejemplo anterior, en el *patch* principal hemos utilizado el objeto *maximum~ 1* para que nos saque la señal mayor que 1, le hacemos la raíz cuadrada con el objeto *sqrt~* y calculamos su inversa con el objeto *!/~* (dividiendo 1 entre el resultado). De este modo tendremos una reducción proporcional a medida que vayamos añadiendo voces y conseguiremos tener el mismo volumen tocando dos notas u ocho notas, evitando así la correspondiente saturación.

6

En el siguiente ejemplo vamos a añadirle múltiplos a una frecuencia fundamental (multiplicando el valor de la frecuencia por 1, 2, 3, etc.). Con el objeto *multislider* podemos definir la cantidad de intensidad que tendrá cada armónico, pudiendo variar el color del sonido. Por otro lado, y cada vez que se toque una nota, hemos *randomizado* el coeficiente de multiplicación de cada armónico, de modo que tengan un cierto margen de variación respecto del índice entero (1, 2, 3, 4, etc..) y conseguir así una relación inarmónica con respecto a la fundamental (1.2, 2.79, 3.56, etc.).

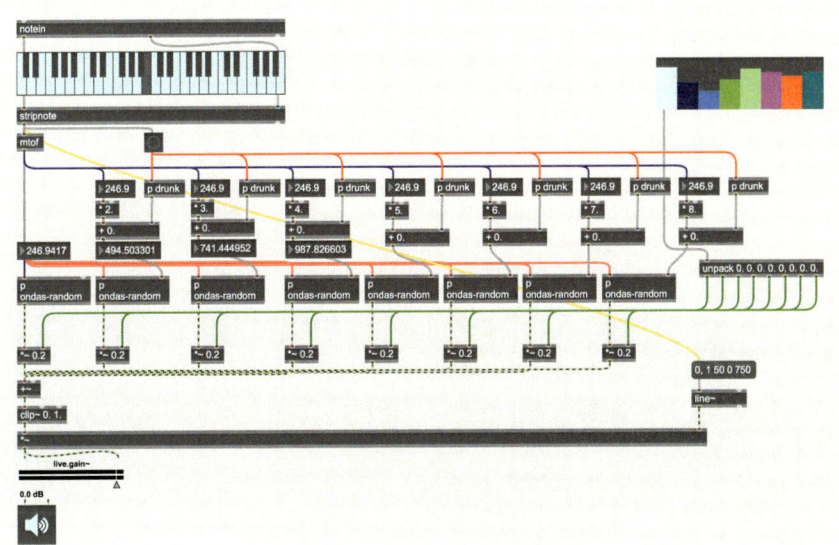

Img. 17. *Patch* Aditiva6.

En cuanto a la elección de formas de onda también lo hemos dejado al azar. En la siguiente imagen vemos el objeto *expr* para establecer un rango *random* de 2 a 5 (para ajustar los valores de 1 a 4 colocamos el objeto "–" con el valor 1. Así, cada vez que se genere una nota también tendremos una forma de onda diferente. Dentro del objeto *umenu* tendremos que definir los nombres, para que al desplegarse aparezcan las formas de onda que queramos (*menu items*).

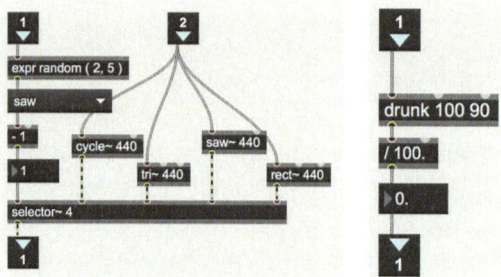

Img. 18. *Subpatches* de Aditiva6.

Como vemos en la imagen superior derecha, para establecer el movimiento aleatorio de los armónicos utilizaremos el objeto *drunk* que nos permite ajustar el margen de los números y el rango para los pasos que dará entre número y número.

_7

En el siguiente ejemplo utilizaremos el objeto *partial~*, que incluye Max MSP y que nos ofrece un control de los parámetros que necesitamos para crear armónicos.

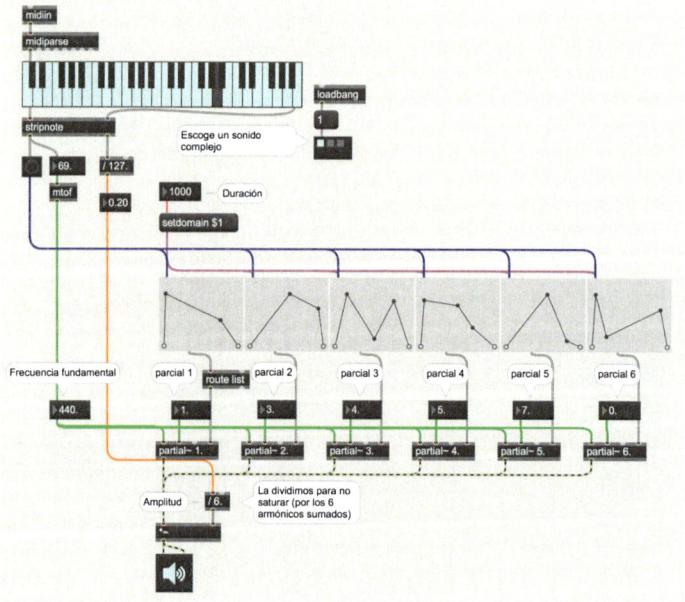

Img. 19. *Patch* Aditiva7.

La envolvente dinámica de cada armónico la gestionaremos por separado con el objeto gráfico *function* (bien directamente conectado al objeto *line~*, bien a través del objeto *route* mediante el cual enviaremos los datos en forma de lista de números).

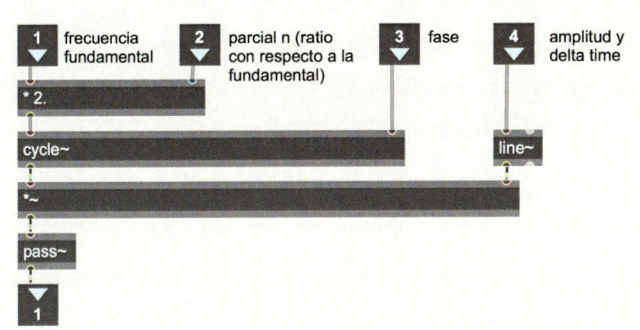

Img. 20. *Subpatch "partial"* para Aditiva7.

Como se ha mencionado antes, este *subpatch* viene integrado en Max MSP, así pues, no es necesario que lo programemos. Simplemente creamos un objeto nuevo (cmd o ctrl + n) y escribimos *partial~*. Dentro tendremos sus componentes preparados para ser utilizados. Antes de seguir podemos pararnos a estudiar el objeto *pass~*; este objeto sirve para eliminar el ruido que puede hacer una señal de audio en un *subpatch* al ser *muteado*. Es un objeto por tanto bastante utilizado en *patches* que utilizan procesos en un *poly~*.

_8

En el siguiente ejemplo vamos a construir un sintetizador en el que la gestión de las voces se realice de modo diferente. En la imagen 21 podemos ver el *patch* principal. En él se envía la altura y la intensidad al *poly~*. Con el argumento "*@steal 1*" obligamos a alojar notas nuevas, aunque no queden instancias libres (de este modo, las nuevas notas se alojarán por orden de antigüedad).

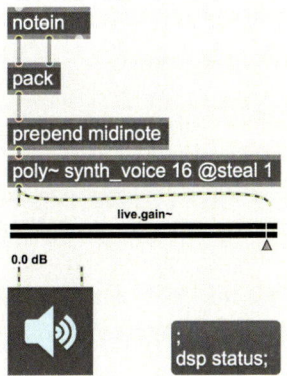

Img. 21. *Patch* Aditiva8.

El mensaje remoto ";dsp status;" es muy útil (podríamos ocultarlo y abrirlo con un *bang* ;P) para abrir el menú de control del audio en Max MSP.

Una vez dentro del *poly~* damos la vuelta a los datos MIDI utilizando el objeto *swap* para gestionar primero la dinámica (recordemos que hemos colocado el prefijo "*midinote*" para que sea interpretado por *mtof*), de este modo será la dinámica la que se defina con anterioridad y se encargue de ejecutar una nueva frecuencia. Una vez que dividimos la intensidad por 127. (y así tendremos valores decimales entre 0 y 1 – que son propios para la amplitud en términos lineales), el objeto *adsr~* envía un *bang* por la segunda salida cuando detecta una nueva envolvente (una nueva nota) al objeto *edge~*, que se encargará de lanzar un *bang* por la primera salida si la intensidad pasa de 0. a 1. Entonces, nuestra frecuencia (que estaba almacenada en el objeto *f* (*float*) puede salir al generador de forma de onda (en este caso una dientes de sierra – "*saw~*").

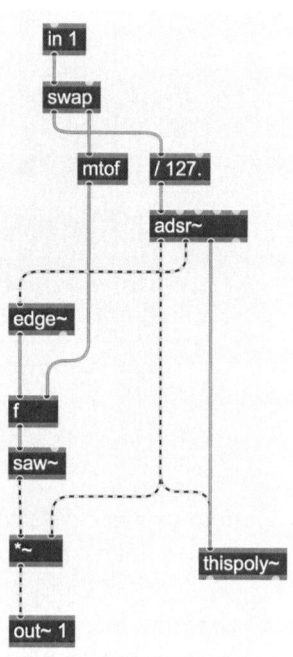

Fig 22. *poly~* Aditiva8.

9

Por último y a modo de resumen final vamos a crear un *patch* en el que tengamos el control de varios armónicos, y todo será gestionado dentro de un *poly~*.

Para poder comunicarnos con cada una de las instancias del *poly* (hemos definido 16 voces) usaremos el mensaje "*target N, $1*" (donde N es el número de instancia con la que queremos comunicarnos) y $1 es la entrada por donde se introducen los datos a nuestro mensaje. Por otro lado, con la ayuda de un *multislider* con los parámetros continuos y decimales establecidos (en el inspector del objeto) mandamos los datos de cada *slider* a través de un *unpack* (seguido de tantos 0. como *sliders* tengamos) a los diferentes *targets*.

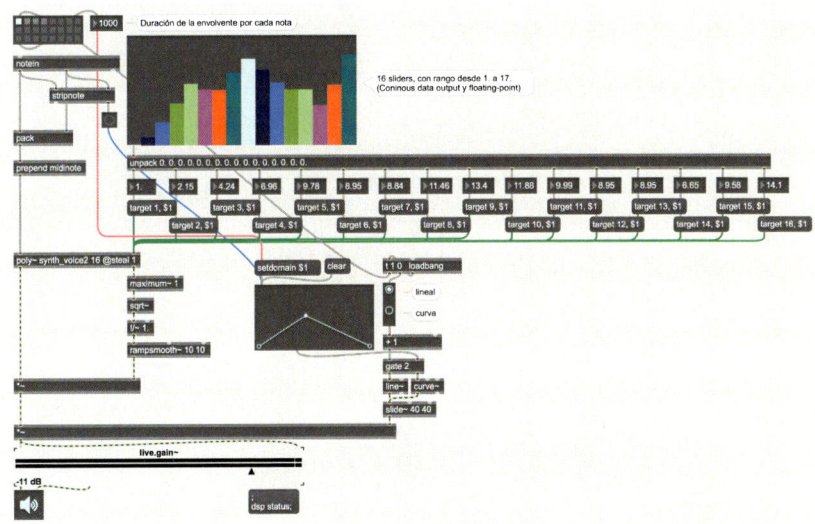

Img. 23. *Patch* Aditiva9.

Con la ayuda de los objetos *line~* o *curve~* (los podemos elegir con el objeto *radiogroup)* y *slide~* que ya utilizamos en el ejemplo 5, configuramos una envolvente final para cada voz que se genere. El objeto *curve~* nos permite crear envolventes logarítmicas, y el objeto *slide~* suaviza logarítmicamente también la unión entre los valores de cada evento.

El *poly~* en el que se gestionan las voces es muy parecido al que vimos en el ejemplo anterior con la diferencia de que le hemos establecido un *adsr* específico (al igual que hicimos en el ejemplo 5), en el que introducimos el argumento *"@legato 1"*, de modo que alcanzará la amplitud de un segundo ataque de la misma voz, aunque la primera no haya llegado aún a 0. La razón armónica para cada instancia la introducimos a través de la entrada *in 2.*

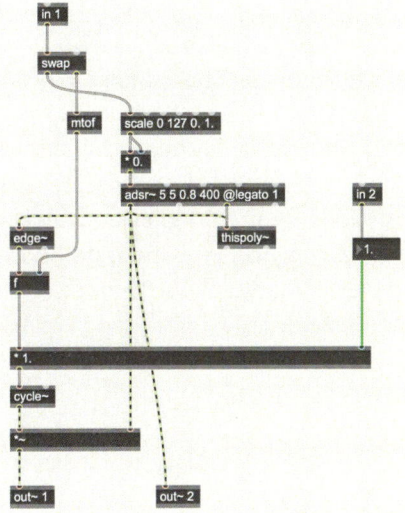

Img. 24. *poly~* Aditiva9.

Además de la adición mediante la suma de señales discretas podemos usar el poco conocido objeto *ioscbank~*, que nos permite emular un gran cajón de señales (sinusoidales) controlables, por ejemplo, a través de *multisliders*.

Como vemos en la ayuda del objeto, sólo necesitamos implementar la cantidad de señales, los niveles de frecuencia, ganancia, fase e índice.

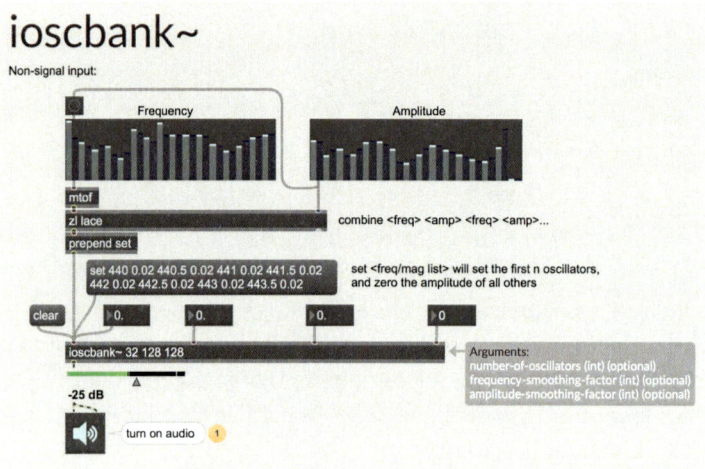

Img. 25. *Help* de *ioscbank~*.

En el siguiente ejemplo hemos fabricado un sistema en el que se producen 9 señales diferentes que se activan de manera aleatoria. En cada caja de mensaje hemos definido la frecuencia, la amplitud y el número de índice para cada oscilador. Cada uno de los mensajes llevan los datos de frecuencia, amplitud y nº de oscilador. Hemos establecido 3 osciladores con rampas de interpolación para las frecuencias y las amplitudes de 11025 en ambos casos. Este número se refiere a *samples*. Por tanto, si 44100 muestras entran en 1 segundo (*samplerate*), 11025 corresponderán a 0.25 segundos. Así pues, estamos creando rampas de interpolación de 250 milisegundos.

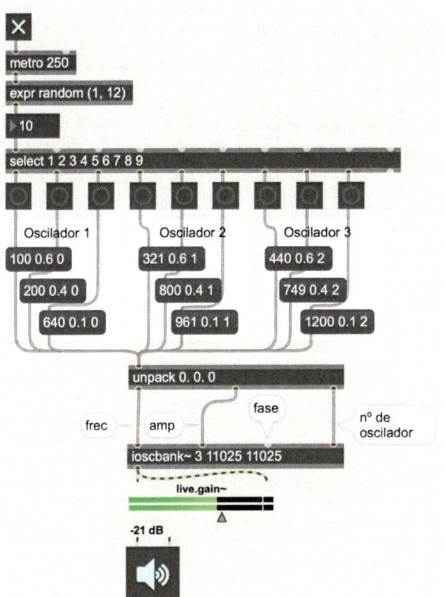

Img. 26. *Patch* Aditiva10.

2. Sustractiva

La síntesis sustractiva se produce cuando eliminamos ciertas frecuencias de un sonido complejo. Pensemos en un ruido "blanco", que no es otra cosa que una señal aleatoria en la que sus valores de señal en dos tiempos diferentes no guardan correlación estadística. Su gráfica espectral es plana, sin embargo, y dado que nuestra percepción no es lineal en lo que a frecuencia e intensidad se refiere, oímos este ruido con un incremento en las frecuencias agudas respecto a las graves. Para conseguir un ruido con un análisis perceptual constante debemos establecer una reducción de -3 dB por cada octava ascendente, así conseguiremos tener una percepción plana. Este tipo de ruido se denomina "rosa". Existen otros colores asociados a filtros sonoros como el marrón, azul, violeta, gris o rojo, en analogía a la luz visible.

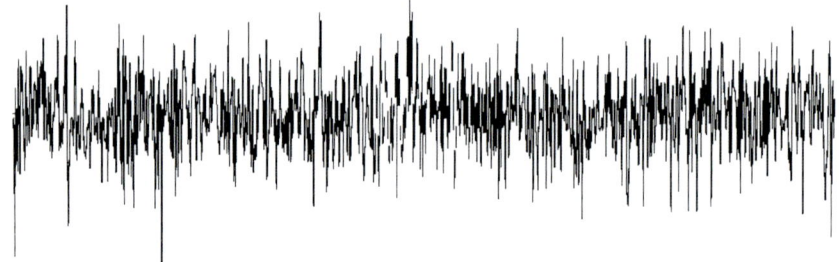

Img. 27. Ruido blanco.

Si analizamos un ruido blanco, otro rosa y otro marrón en un analizador de espectro (intensidad de frecuencias) esto es lo que obtenemos:

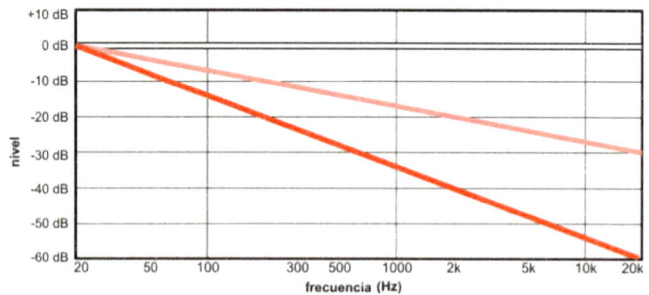

Img. 28. Ruidos blanco, rosa y marrón en analizador de espectro.

Sin embargo, en un analizador de percepción vemos como nuestro oído recibe un incremento hacia frecuencias agudas para el ruido blanco.

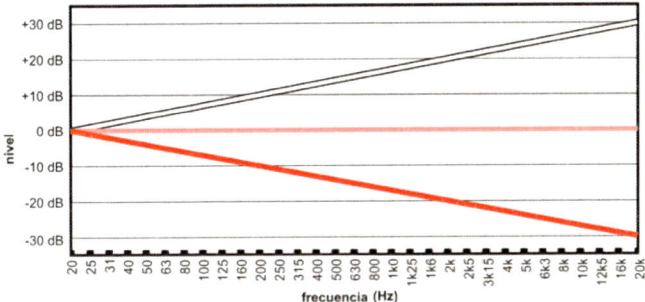

Img. 29. Ruidos blanco, rosa y marrón en analizador porcentual constante (RTA).

2.1. Tipos de filtros

Como hemos mencionado anteriormente podemos eliminar o incrementar ciertas frecuencias con el uso de los filtros. Según su impacto en el espectro audible tenemos 4 tipos básicos: pasa-bajos (*lowpass*), pasa-altos (*highpass*), pasa-banda (*bandpass*) y rechaza-banda (*notch*, *reject*, …).

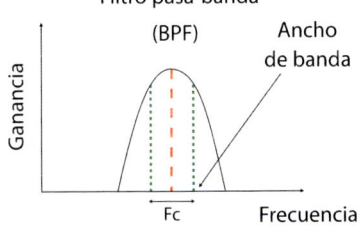

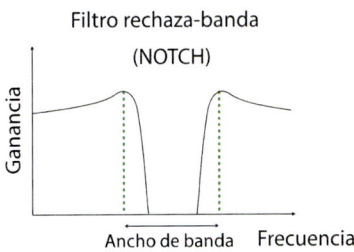

Img. 30. Tipos de filtros.

En la siguiente imagen vemos una función, llamada resonancia, que puede estar aplicada a un filtro.

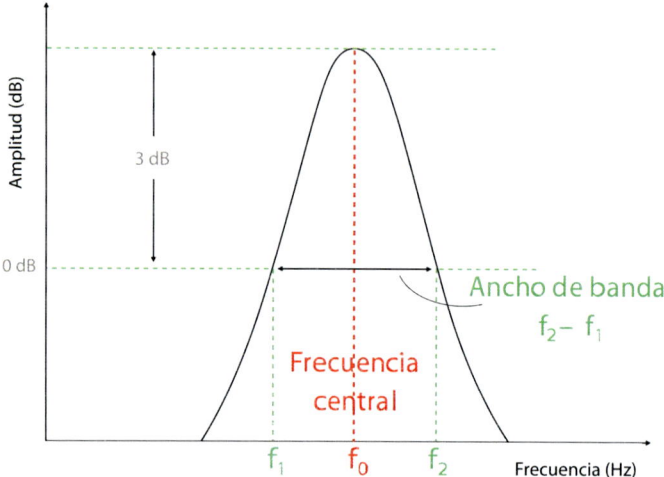

Img. 31. Parte resonante de un filtro.

Antes de abordar los diferentes objetos que ofrece Max MSP para el control de filtros veamos los parámetros que sirven para definir su comportamiento.

- Frecuencia de corte (*cutoff*): es la frecuencia a partir o hasta la cual se va a producir el filtro.

- Ancho de banda: es la longitud, medida en Hz, de la extensión de frecuencias en la que opera el filtro.

- Resonancia: es la función de un filtro en la que un grupo de frecuencias con un pequeño ancho de banda (a este grupo de frecuencias también se le llama pico resonante) se vuelve relativamente más pronunciado. Este grupo de frecuencias está casi siempre muy cerca de la frecuencia de corte. Este parámetro también recibe el nombre de factor "Q" o factor de calidad y se calcula dividiendo la frecuencia central entre el ancho de banda. Como vemos en la imagen 32, el factor "Q" podría estar condicionando el comportamiento de un filtro pasa-bajos.

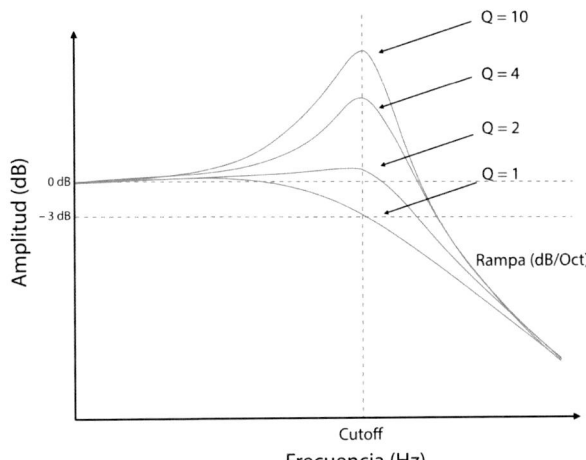

Img. 32. Diferentes factores de calidad ("Q").

- *Slope* o Rampa: pendiente que refleja la transición entre la zona sin procesar y el corte. Se suele medir en polos (1 polo = 6 dB por octava).

2.2. Filtros en Max MSP

En Max MSP Podemos clasificar los distintos tipos de filtros según la cantidad de cortes que implementan.

Para los que tienen sólo un tipo de filtro podemos encontrar:

• *onepole~*: es un filtro pasa-bajos que solo admite el valor de corte (*cutoff*). Realiza una atenuación de 6 dB por octava (1 polo).

• *lores~*: filtro pasa-bajos resonante en el que se pude controlar la frecuencia de corte y la resonancia.

• *reson~*: filtro pasa-banda (resonante) en el que se puede controlar, la frecuencia de corte, la ganancia y la resonancia (factor "Q").

• *fffb~*: banco de filtros pasa-banda con las mismas prestaciones que el anterior.

En la siguiente imagen vemos los filtros de 1 corte en Max MSP:

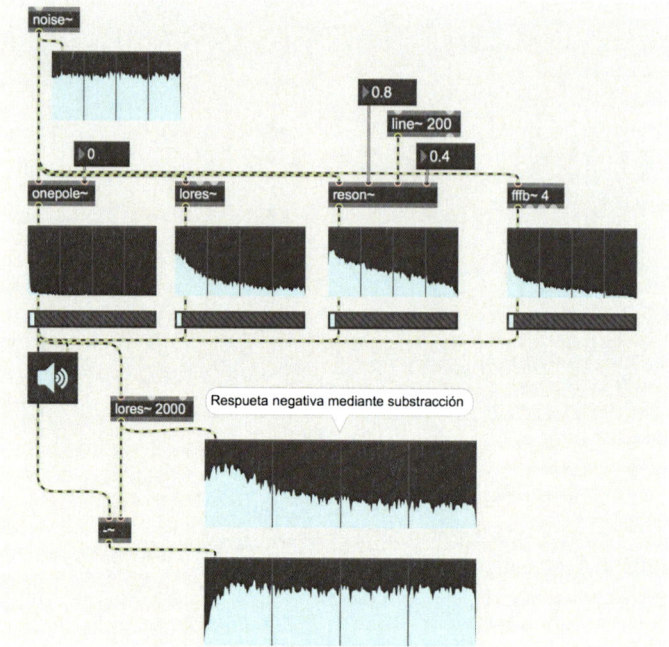

Img. 33. *Patch* Sustractiva1.

Como vemos en la imagen 33, este grupo de filtros puede dar la respuesta opuesta mediante la utilización del objeto "-~".

Entre los filtros que implementan diferentes tipos de filtro podemos encontrar:

• *svf~* (*State variable filter*): es un multifiltro que permite 4 salidas simultáneas (*lowpass, highpass, bandpass y bandreject*) en el que se puede controlar la frecuencia de corte y la resonancia. Es un filtro que por su algoritmo matemático sólo permite trabajar hasta la cuarta parte de la frecuencia de muestreo.

• *biquad~*: filtro bi-cuadrático de 2 polos y 2 ceros (terminología específica de funciones de transferencia relacionadas con polinomios de 2° orden, análisis frecuencial y FFT). El control de este filtro se realiza a través de coeficientes de absorción, pueden ser calculados por el objeto *filtercoeff~*, al que hay que introducirle los valores de frecuencia de corte, ganancia y ancho de banda "Q".

Como vemos en la imagen, mediante un argumento concreto se puede definir su comportamiento para diferentes tipos de filtros (*lowpass, highpass, bandpass, bandstop, peaknotch, lowshelf, highshelf, resonant, allpass, etc.*).

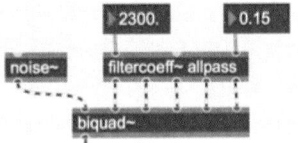

Tenemos también el objeto *filtergraph~*, que mediante una interfaz gráfica nos permite generar los coeficientes necesarios para controlar el objeto *biquad~*; es controlable mediante el ratón o con las entradas (*inlets*) correspondientes. Dichas entradas admiten tanto los coeficientes como los parámetros típicos de ganancia, *cutoff*, factor "Q" y "*slope*".

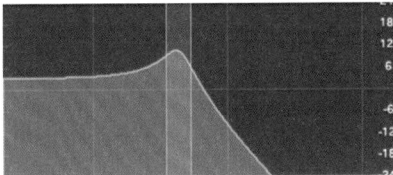

Img. 34. Objeto *filtergraph~*.

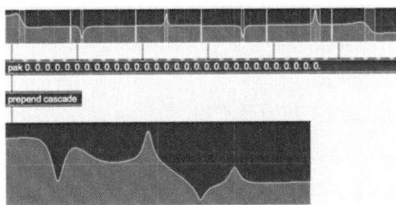

Img. 35. Objeto *filtergraph~ (*en modo *display*) a través de *cascade~*.

Estos filtros (*biquad~* y *cascade~*) utilizan coeficientes de absorción basados en series de números generados mediante algoritmos matemáticos.
El objeto *filterdesign* es una potente herramienta que nos permite generar los coeficientes para filtros de hasta segundo orden para controlar *biquad~* o de hasta ducentésimo (200º) orden a través de *cascade~*. Entre las diferentes topologías podemos encontrar: *butterworth*, Chevyshev, la atenuación, frecuencia, orden, tipo de filtro, etc. Dicho objeto debe ir conectado al objeto *cascade~* que será el que interprete los coeficientes para realizar el correspondiente filtrado. Por otro lado, si deseamos ver la respuesta de frecuencias de ese filtro, debemos conectarlo al objeto *filterdetail*, y este, al objeto *plot* o a un *multislider*.

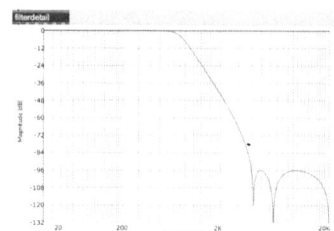

Img. 36. Objetos *filtrerdetail* y *plot*.

• *comb~*: filtro de peine en el que podemos controlar el tiempo de *delay* entre la señal original y la mezcla consigo misma, la ganancia y los coeficientes de *feedback* y *feedforward*.

• *teeth~*: similar al filtro anterior, añadiendo controles de ganancia para *feedback* y *feedforward*.

• *buffir~*: sirve para implementar un filtro con respuesta finita al impulso (FIR) para realizar una convolución[1] de la señal de entrada con la información de un *buffer*. Este tipo de filtro devuelve diferentes ganancias del filtro en diferentes frecuencias. Para un filtro ideal, la ganancia debería ser 1 en la pasa-banda y 0 en rechaza-banda. De manera que, todas las frecuencias en la pasa-banda pasan como son a la salida, sin embargo, no hay salida para las frecuencias en rechaza-banda. Podemos controlar el *offset* en muestras del buffer y la duración en número de muestras.

• *allpass~*: filtro pasa-todo, basado en retardo temporal (*delay*) con control de ganancia. Similar al *comb~ filter*, con la diferencia de que, mientras el *comb~ filter* ofrece controles de ganancia por separado de sus parámetros, en *allpass~* se combinan (interpolan) los valores de ganancia para la señal directa y *feedback*. Dada su arquitectura, es más usado para manipulaciones que requieren una respuesta plana en frecuencia; preferible para señales de corta duración (sonidos percusivos).

• *phaseshift~*: filtro que distorsiona la fase de una señal. Similar al filtro *allpass~*; se puede controlar la frecuencia y el factor "Q".

---

[1] Convolución, se refiere a una operación matemática que combina dos señales para producir una tercera señal resultante.

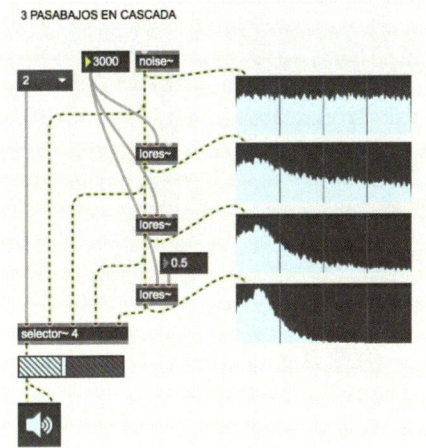

Img. 37. *Patch* Sustractiva2.

Como podemos ver en la imagen 37, podríamos así mismo aprovecharnos de la implementación en cascada para acentuar algunos resultados con un solo filtro (en este caso un *lores~*), como por ejemplo la curva de atenuación.

___1

En el siguiente ejemplo hemos fabricado un sistema que realiza rampas *random* entre los valores del 200 al 6198 en 300 milisegundos. Estos valores definen la frecuencia de corte. Establecemos 0.5 de ganancia y 10 para el factor "Q". El propio valor aleatorio que sale del objeto *random* nos sirve para realimentar la duración para el metrónomo (objeto *metro*).

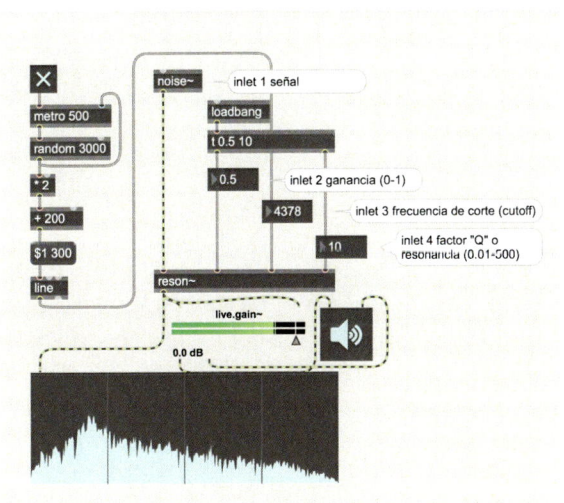

Img. 38. *Patch* Sustractiva3.

Hemos conseguido diseñar algo parecido al ruido que se produce cuando el aire pasa por una ventana entreabierta.

_2

El siguiente ejemplo lo vamos a trabajar en varios pasos. En el primero vamos a fabricar una lista de 8 números aleatorios entre 50 y 5049. Los empaquetamos y los asignamos a una de las salidas con el objeto *route*.

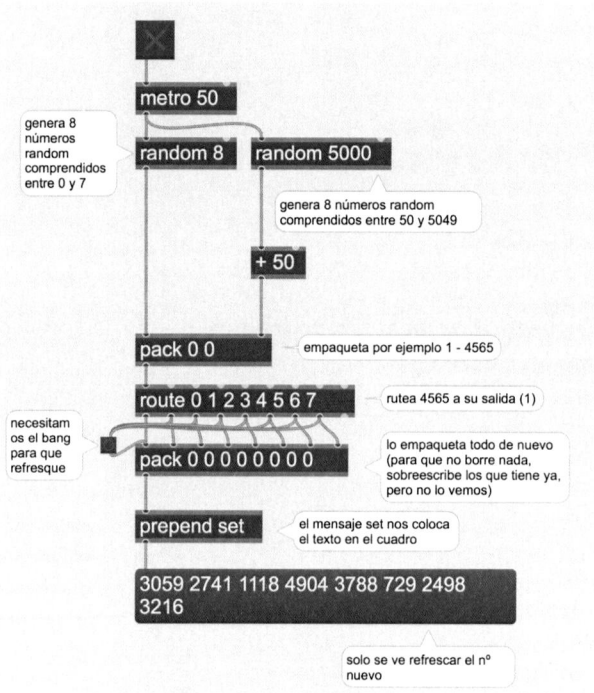

Img. 39. *Patch* Sustractiva4.

Una vez tenemos la lista de 8 números los vamos a asignar a la frecuencia de corte del objeto *fffb~*; también estableceremos otras dos listas más para controlar el factor "Q" y la ganancia de este filtro pasa-banda.

Si *randomizamos* todos los parámetros de este objeto, como vimos anteriormente, tendremos un sistema complejo de filtrado. Cada uno de los parámetros tendrá un rango *random* diferente.

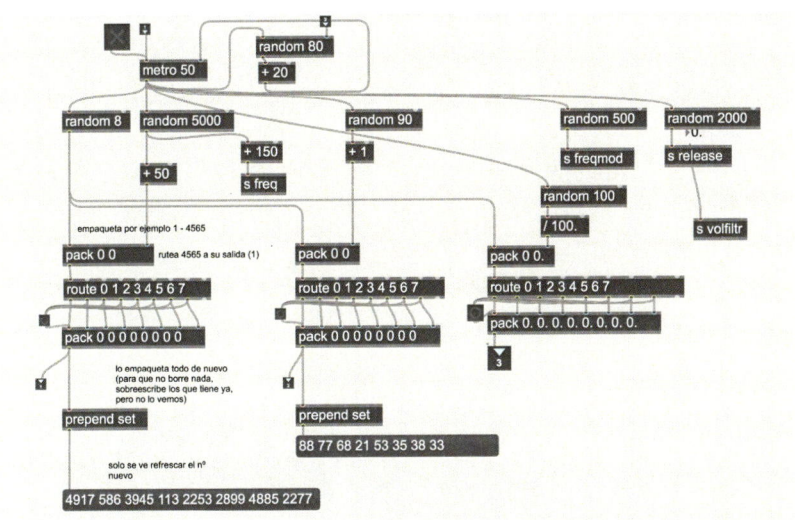

Img. 40. *subpatch* Sustractiva5.

Como vemos en la imagen 41, con el objeto *multislider* conectado al objeto *"prepend freq"*, *"prepend Q"* y *"prepend gain"* podemos introducir todos los valores con los que opera este filtro.

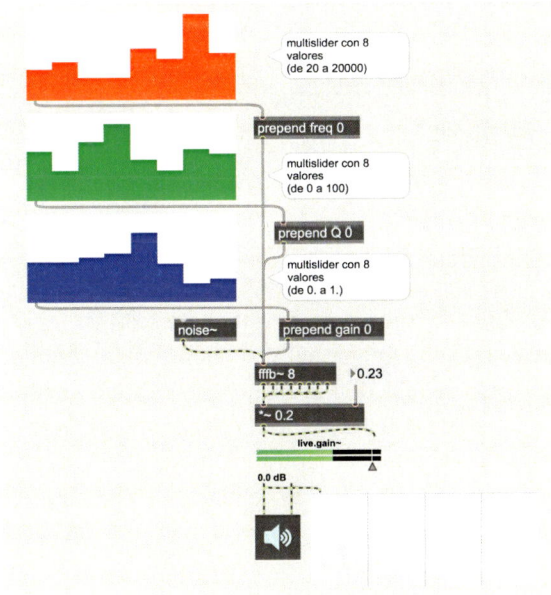

Img. 41. *Patch* Sustractiva5.

<u>3</u>

En el siguiente ejemplo vamos a emular el sonido de un patito de goma. En este caso utilizaremos una forma de onda cuadrada (*rect~*) para generar en sonido principal y después operaremos con los parámetros de sustracción que ofrece un filtro *reson~*.

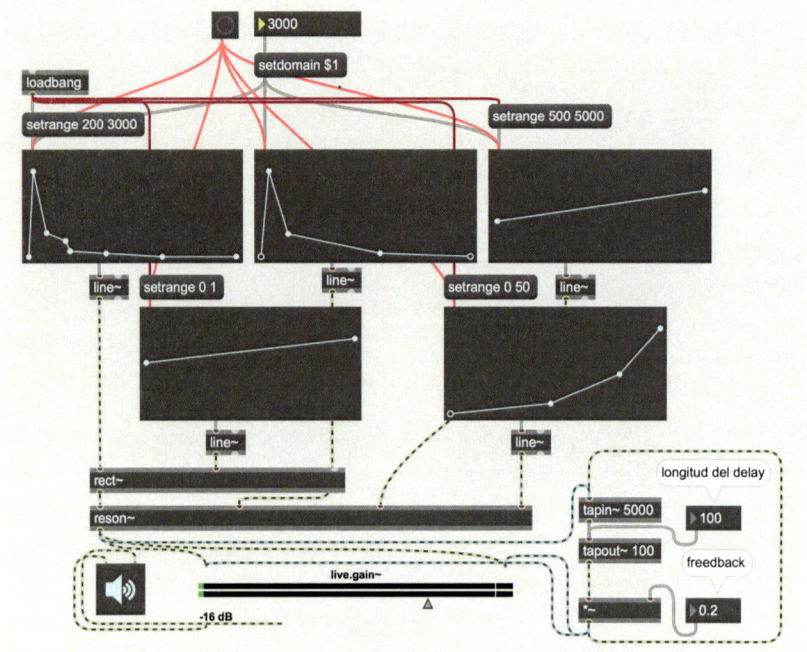

Img. 42. *Patch* Sustractiva6.

En primer lugar, debemos definir los rangos en los que van a operar nuestros objetos gráficos *function*; cada uno de ellos gestionará un parámetro diferente. El primer de ellos define la frecuencia. En este caso hemos elegido una horquilla entre 200 y 3000 Hz, y lo definimos con el mensaje *setrange 200 3000*. El siguiente, situado justo debajo, define el ancho del impulso de la señal cuadrada (entre 0. y 1.) Arriba en el centro tenemos la ganancia del filtro (también de 0. a 1.). Al lado definimos la frecuencia central del filtro, que en este caso la hemos establecido entre 500 Hz y 5000 Hz. Por último y en la parte inferior derecha tenemos el factor "Q" o resonancia, es decir el coeficiente de dividir la frecuencia central entre el ancho de banda, establecida en nuestro caso entre 0 y 50.

Para darle el color típico de un cuarto de baño (;P) hemos colocado un pequeño *delay* con retroalimentación *(feedback)* usando los objetos *tapin~ y tapout~*, de modo que simulemos de algún modo la reverberación de un cuarto de baño, donde se producen muchas reflexiones cortas y cantidad de ondas estacionarias. Podemos calibrar la cantidad de *delay* (en milisegundos) y la cantidad de volumen que tendrá el *feedback* (que se recomienda mantener por debajo de 1. para evitar una retroalimentación infinita y consecuente saturación del sonido).

__4

En el siguiente ejemplo vamos a crear un sistema que emula la voz, o más bien la resonancia de diferentes vocales. En este caso utilizaremos un *phasor~* (generador de diente de sierra) al cual le vamos a aplicar un filtro con diferentes frecuencias de corte.

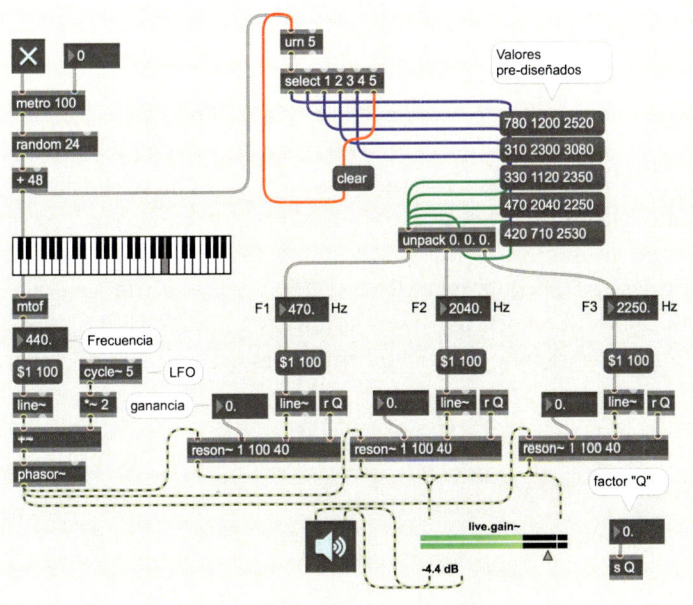

Img. 43. *Patch* Sustractiva7.

Asignando adecuadamente estos cortes para tres filtros paralelos y con una "Q" de valor 40 podemos obtener sonidos realmente parecidos a la voz humana. Al igual que el ejemplo 5 hemos *randomizado* la elección de la frecuencia del *phasor~* y 5 bancos pre-establecidos para la resonancia de estos 3 "armónicos" que hemos creado para simular la resonancia de varias vocales.

Por último, vamos a referirnos al filtrado que sucede cuando se le suma a una señal original una versión retrasada en el tiempo de sí misma. Es lógico pensar que ciertas frecuencias se van a cancelar ya que cuando la señal original genera un frente de presión, la retardada genera un frente opuesto (rarefacción), y ciertas frecuencias quedarán anuladas. Este tipo de filtro se denomina "peine" (o *comb*), ya que la forma de su espectro se parece mucho a un peine.

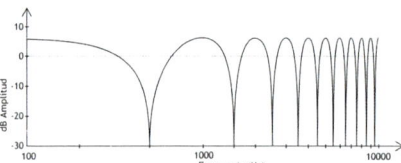

Img. 44. Representación gráfica (logarítmica) de un filtro peine.

5

Podemos calcular fácilmente las frecuencias canceladas con la fórmula: $F = 1 / 2T$, donde T sería el tiempo (en segundos) de retraso entre una señal y otra. Las consecuentes cancelaciones se producirán en relación armónica impar a F. Por ej. un desfase de 1 ms implica $F = 1 / 2 \times 0{,}001 = 500$ Hz. Las siguientes cancelaciones se producen sumando intervalos iguales a 2F. La primera cancelación será a 500 Hz, la segunda a 1500 Hz (500 + 2F), la tercera a 2500 Hz (1500 + 2F), etc., obteniendo una cancelación "armónica impar" y un refuerzo de armónicos pares (siempre y cuando usemos sonidos complejos).

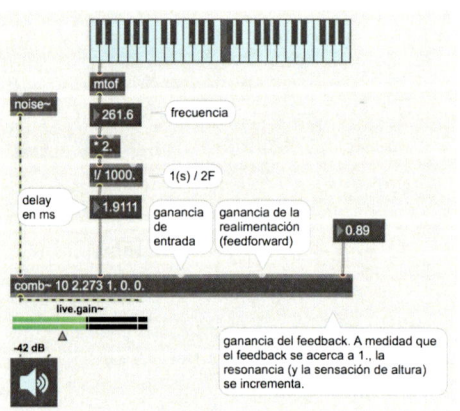

Img. 45. *Patch* Sustractiva8.

En la imagen 45 hemos operado al contrario: hemos calculado el retraso a partir de la frecuencia aplicando el mismo principio, en este caso: T = 1(s) / 2F. La frecuencia más audible será la primera que no se ha cancelado: la 8ª superior.

Bajo este principio, también conocido como efecto *"flange"* (rizado), fue construido un fragmento del 2º movimiento de una de las obras más paradigmáticas de la historia de la música electroacústica, Sud, de J. C. Risset en 1985. En este caso no se obtuvo con medios digitales sino analógicos, variando manualmente el retraso de una señal respecto de su copia en una grabadora de bobina abierta.

Img. 46. J. C. Risset (© foto de Bernard Bruges-Renard).

El conocimiento de este efecto es tremendamente útil en la grabación y el *mastering*, ya que nos enseña los riesgos de tener señales retrasadas en el tiempo en una sala. Si esto ocurre (porque la sala no absorbe y refleja ciertas frecuencias de la onda) tendremos cancelaciones que suelen ser más evidentes en bajas frecuencias. Pongamos un ejemplo: en una habitación de 5 metros de largo el sonido se retrasa del micrófono a la pared y vuelta 0,0294 segundos (tomando la velocidad del sonido en el aire de 340 m/s). Si aplicamos la fórmula que vimos anteriormente tendremos una atenuación a 17 Hz y sus armónicos impares: 51 Hz, 85 Hz, 119 Hz, etc. Evidentemente este ejemplo es un supuesto teórico, el comportamiento acústico de una sala es mucho más complejo en la práctica real.

Img. 47. Cancelación de fase.

6

Para nuestra emulación digital en Max MSP vamos a utilizar el objeto *delay~*. Podemos ir aumentando el valor (en este caso es un valor de muestras por segundo) para comprobar las cancelaciones que se producen en el ruido blanco que hemos empleado. Como vemos en la imagen 48 hemos sumado ambas señales (original y retrasada), después dividimos /~ 2 para reducir la salida a valores comprendidos en -1 y 1.

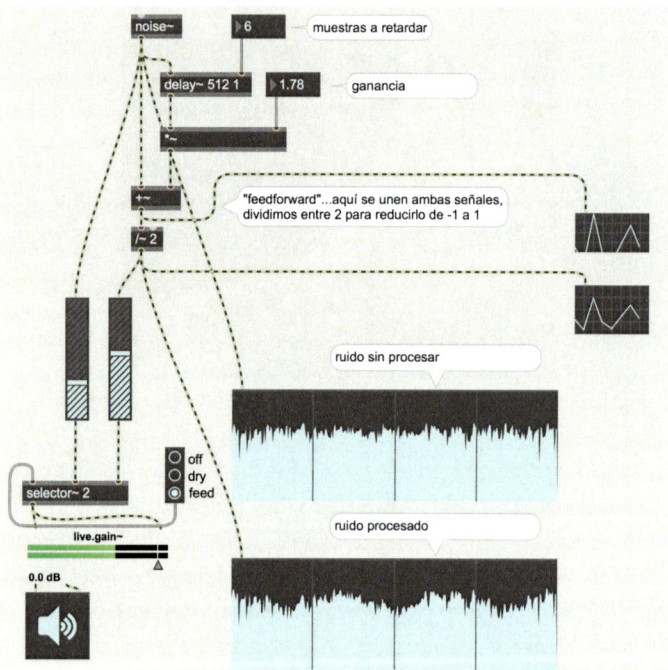

Img. 48. *Patch* Sustractiva9, emulación del efecto "*flange*".

En nuestro *patch* anterior hemos recreado el desfase de una señal consigo misma, sin embargo, cuando trabajemos con *plugins* o dispositivos (pedal de efectos) que produzcan este efecto veremos que pueden ofrecer más parámetros de control como podría ser la velocidad, que no es otra cosa que incluir un LFO (oscilador de baja frecuencia) que haga variar el retraso de manera regular.

3. Modulación de amplitud

Como su nombre indica, en este caso vamos a necesitar dos señales para que sea una de ellas la que module a la otra y producir así un resultado diferente a cualquiera de las dos. Imaginemos que movemos arriba y abajo el *fader* de ganancia de una sinusoide de 300 Hz. Produciríamos una suerte de trémolo (tan rápido como nuestra mano pueda ;)

Ahora bien, si este cambio de amplitud lo gestionamos a través de otra señal diferente tendremos una oscilación periódica de su amplitud.

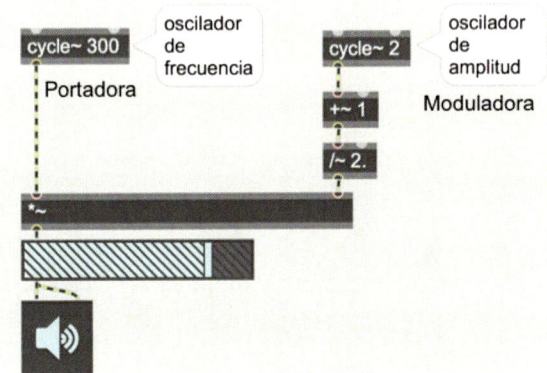

Img. 49. *AM* con moduladora unipolar.

¿Por qué hemos colocado una suma de 1 y una división por 2? Porque el objeto *cycle~* genera una señal que oscila entre -1 y 1 en x tiempo (x = frecuencia); con lo cual es bipolar, y por tanto, y dado que hay valores negativos en ambas señales, se convierten al multiplicarse en positivos y estaremos oyendo 4 pulsos por segundo en lugar de 2. Sin embargo, si colocamos el pequeño cálculo matemático intermedio estaremos convirtiendo la señal en unipolar, es decir, oscilará entre 0 y 1, con lo cual todo su comportamiento lo hará de nula intensidad a toda la intensidad (sin el efecto "rebote").

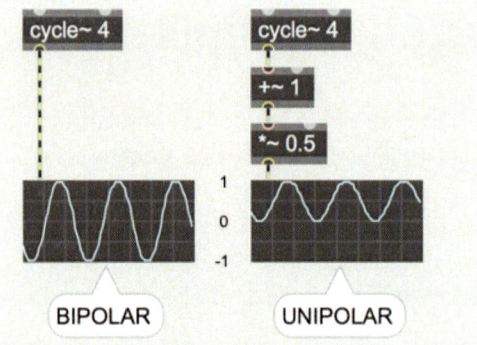

Img. 50. Bipolar vs. unipolar.

A este respecto debemos hablar de la **Modulación en anillo** o *Ring Modulation* (*RM*), que es la modulación de amplitud que se produce cuando la señal moduladora es bipolar.

Al tener una moduladora bipolar (en rojo) nunca llega a poder salir la frecuencia de la portadora (en azul) ya que hay fases invertidas (al multiplicar por los valores de 0 hasta -1); sólo oiremos los batimientos o frecuencias resultantes (sobre todo cuando la moduladora tenga frecuencias altas).

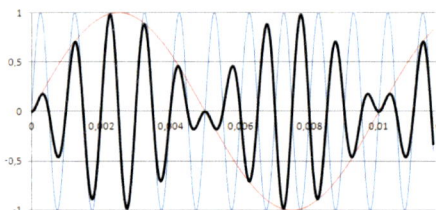

Img. 51. Modulación en anillo (RM).

En la imagen 52 (la moduladora no llega a 0) vemos el "espacio" que queda libre para que la portadora salga y sea audible.

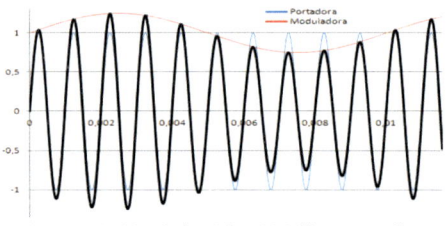

Img. 52. Modulación AM ("estricta").

Al igual que sucede con los batimientos (anulaciones y refuerzos que suceden cuando dos frecuencias están tan cerca que llegan a cancelarse periódicamente), si incrementamos la frecuencia de la portadora vemos que se producirá un sonido resultante diferente tanto de la portadora (Fp) como de la moduladora (Fm). En este caso para la Modulación en anillo (*RM*) oiremos dos sonidos: Fm + Fp y Fm – Fp. Para la modulación AM (también llamada "estricta") el resultado serán 3 sonidos: Fm + Fp, Fm – Fp y Fp.

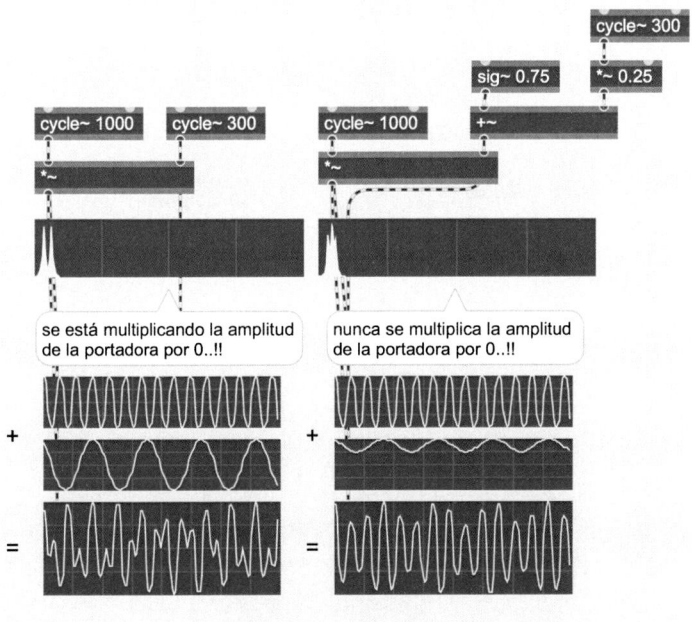

Img. 53. RM vs. AM.

El índice que establecemos para hacer a la señal moduladora unipolar se denomina *DC Offset* (coeficiente de desplazamiento).

___1

En el siguiente ejemplo vamos a construir un *patch* en el que controlaremos las frecuencias de la portadora y la moduladora con el ratón del ordenador. Para ello hemos utilizado el objeto *mousestate,* que nos devuelve las coordenadas en el eje horizontal (x) y vertical (y) de nuestra pantalla. Hemos escalado ambos resultados a los niveles que queremos y los hemos empaquetado para pasarlos por un *line~* (y así interpolar los valores).

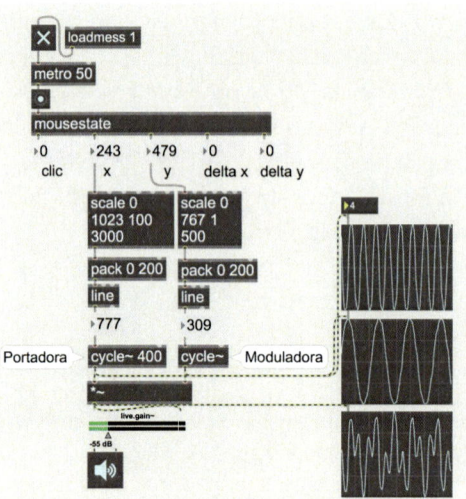

Img. 54. *Patch* AM1.

2

En el siguiente ejemplo controlamos la frecuencia de la moduladora con el objeto *function*.

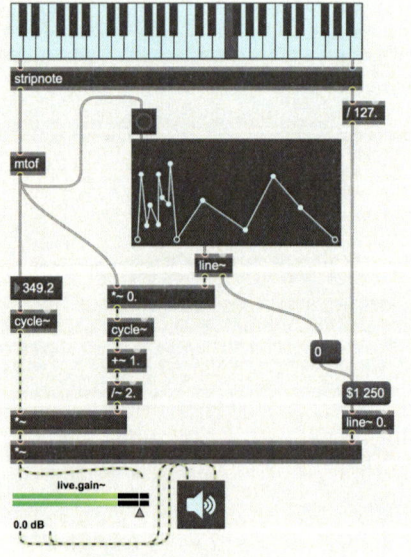

Img. 55. *Patch* AM2.

K. Stockhausen utilizó la modulación en anillo en varias obras de los años 60: Kontakte, Mikrophonie I-II, Telemusik, Hymnen, Prozession, Kurzwellen.

Proponemos el siguiente ejercicio: calcula los valores que deben tener una Portadora y una Moduladora si los sonidos resultantes de una modulación en anillo son 440 Hz y su 4ª justa ascendente (afinación justa, 4/3).

(Resultado: 73'3 Hz, 513,3 Hz).

4. Modulación de frecuencia

Si podemos modular la amplitud, ¿por qué no la frecuencia? En efecto, en este caso vamos a oscilar la frecuencia de una señal con la ayuda de otra. Empezaremos con el mismo ejemplo que la AM, pero ahora moveríamos con muestra mano el valor de la frecuencia en lugar del *slider* de ganancia. Si somos suficientemente hábiles conseguiremos una suerte de *vibrato*. Sin embargo, podremos programarlo mediante otra señal que haga el trabajo por nosotros.

Nos podemos hacer una idea de lo que representaría gráficamente esta modulación:

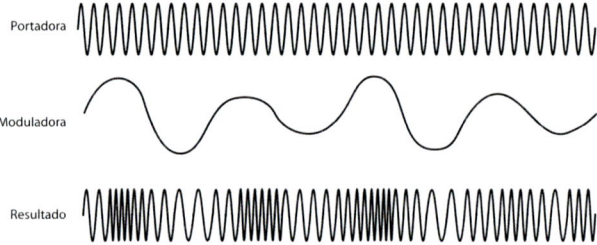

Img. 56. Visualización de Síntesis FM.

En la siguiente imagen tenemos una frecuencia de 440 Hz (portadora) que está siendo modificada (a 439 Hz y 441 Hz) una vez por segundo (moduladora). Si pusiéramos una moduladora más alta veríamos en el objeto *number~* como tendríamos una oscilación más rápida, pero no oiríamos diferencia alguna (pues el cambio de frecuencia de 439 a 441 es muy leve para nuestra percepción).

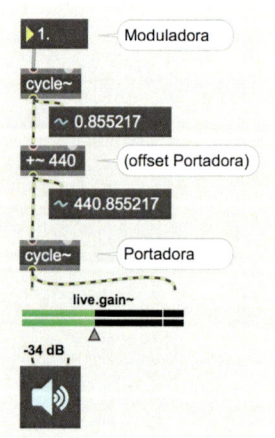

Img. 57. *Patch* FM1.

Para percibir el cambio deberíamos por ejemplo incrementar el valor de oscilación de -1 a 1 a -10 y +10. Para ello vamos a usar el objeto "*~" pero esta vez para multiplicar los valores de frecuencia.

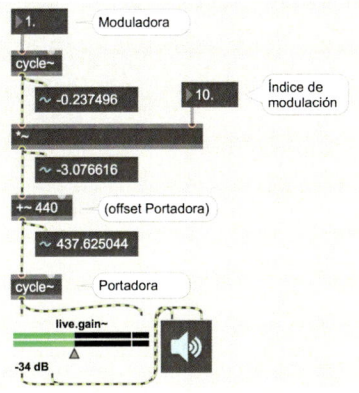

Img. 58. *Patch* FM2.

Como vemos en la imagen 59, podemos establecer unos parámetros en función de otros. En la parte derecha de la imagen se introducen dos multiplicadores (objetos en naranja) incorporándose el criterio Desviación y de Razón Armónica, que no es otra cosa que la relación entre la frecuencia de la portadora y la moduladora.

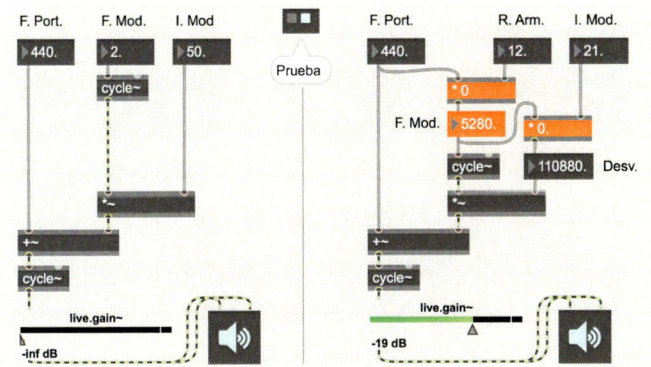

Img. 59. *Patch* FM3.

Los cálculos para obtener los valores de frecuencia resultantes son algo más complejos que la síntesis AM. Al final podemos decir que:

- Frecuencia de la Portadora x la Razón Armónica = Moduladora.
- Frecuencia de la Moduladora x Índice de modulación = Desviación.

A diferencia de la modulación de amplitud, el espectro que obtenemos mediante la síntesis por modulación de frecuencia contiene además de la frecuencia de la portadora, toda una serie de frecuencias distribuidas de forma simétrica alrededor de ella, a distancias iguales a todos los múltiplos enteros de la moduladora. Los componentes que surgen a ambos lados de la portadora reciben el nombre de **bandas laterales** (*side bands*). Para obtener los valores de dichas bandas realizaremos los siguientes cálculos:

	Ejemplo: F. Port = 500 Hz, F. Mod = 50 Hz (R. Arm. = 0.1)
F. Port – F. Mod	500 Hz – 50 Hz = 450 Hz
F. Port + F. Mod	500 Hz + 50 Hz = 550 Hz
F. Port – (2 · F. Mod)	500 Hz – (2 · 50 Hz) = 400 Hz
F. Port + (2 · F. Mod)	500 Hz + (2 · 50 Hz) = 600 Hz
F. Port – (3 · F. Mod)	500 Hz – (3 · 50 Hz) = 350 Hz
…etc*.	

Aún faltarían por calcular los resultados con los parámetros Índice de modulación y Desviación. Sabemos que el Índice de modulación determina la desviación máxima de la portadora, en función de la frecuencia moduladora (D = F. Mod · I. Modulación). Ampliemos el ejemplo anterior con un Índice de Modulación de 6. La desviación máxima de la F. Portadora vale 50 · 6 = 300 Hz. Luego, la frecuencia instantánea oscilará entre 200 Hz. (500-300) y 800 Hz. (500 + 300).

*J. Chowning estimó que el número de bandas laterales (con suficiente amplitud) se produce en función del Índice de modulación y vale (I + 1). Cuando I = 0, no hay modulación; cuando I crece, las bandas laterales aparecen a un lado y otro de la Frecuencia portadora (de la cual toman la energía). Para I = 4, cada banda lateral contiene (4 + 1) = 5 componentes (con una amplitud significativa). Las otras bandas se pueden considerar inexistentes (dada su mínima amplitud). Como veremos en el siguiente ejemplo, este comportamiento puede aprovecharse para construir espectros cambiantes en el tiempo, introduciendo más o menos Índice de modulación en nuestro módulo de síntesis FM.

1

En el siguiente ejemplo hemos definido el diseño de los valores de razón armónica (RA) y de Índice de modulación (IM) mediante control gráfico (objeto *function*, en los que podemos ajustar los rangos (se sugieren: de 0 a 10 para la RA y de 0 a 10000 para el IM). Con la ayuda del objeto *sig~* (que convierte valores de control en señal de audio) y el objeto *kslider*, leemos la frecuencia del teclado para introducirla a la frecuencia de la portadora.

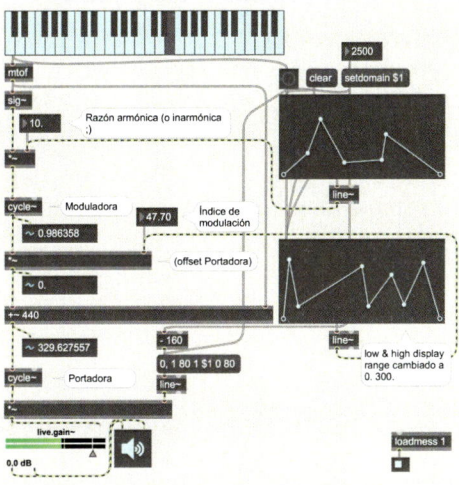

Img. 60. *Patch* FM4.

Después de fabricarnos nuestro propio sistema de síntesis FM es buen momento para conocer que Max MSP ofrece una abstracción ya programada de síntesis FM. Si creamos un objeto nuevo (cmd + n) y tecleamos el texto "*simpleFM~*" se crea un *subpatch* con todos los parámetros que hemos hablado. En la siguiente imagen podemos ver este *patch* nativo.

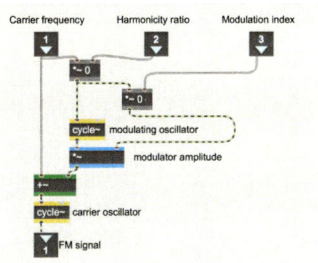

Img. 61. *Subpatch simpleFM~*.

2

A continuación, nuestra contribución al control de los parámetros IM y amplitud:

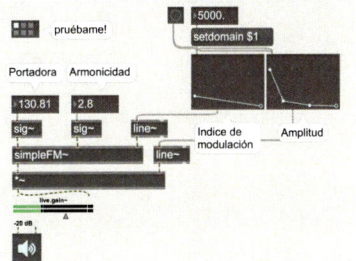

Img. 62. *Patch* FM5.

Al objeto nativo de Max MSP le hemos añadido el control gráfico del IM (índice de modulación) y la amplitud general de la salida al DAC. Si buscamos los valores adecuados podremos encontrar timbres muy conocidos en los primeros sintetizadores que usaron esta técnica (sonidos de campanas, trompetas, etc.).

3

En el siguiente ejemplo hemos encadenado varios módulos de FM, haciendo depender unos de otros. El resultado tímbrico escapa en este caso a cualquier intención objetiva de definir un sonido concreto, prestándose sin embargo al diseño de timbres de complejo contenido espectral.

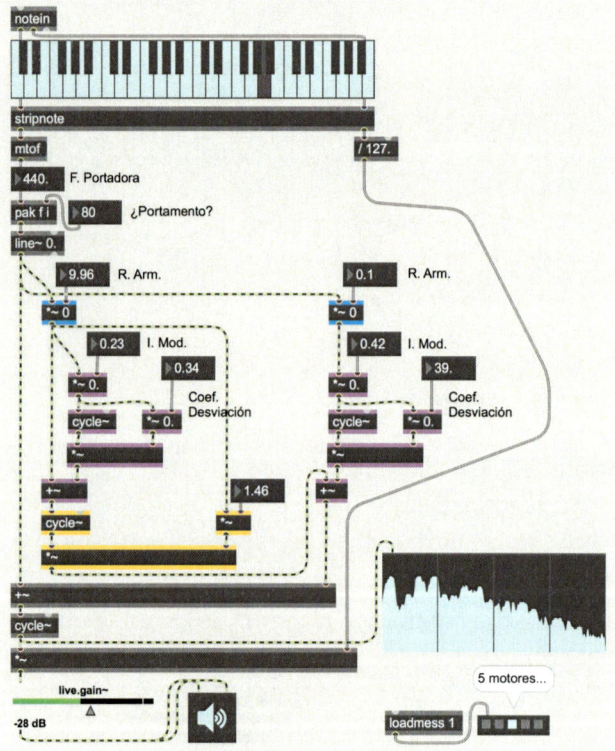

Img. 63. *Patch* FM6.

Como vemos, hemos utilizado el objeto *pak* (que devuelve una lista cuando cualquiera de sus números varía) y el objeto *line~* (que produce rampas numéricas en el dominio de la señal de audio) para ofrecer la opción de *portamento* entre una nota y otra.

En el año 1967 fue el compositor John Chowning el descubridor de esta técnica, casi por casualidad y al intentar emular de manera electrónica el *vibrato* en los instrumentos electrónicos. Aunque patentó su algoritmo en 1975 no fue hasta 1978 cuando la compañía Yamaha adquirió la licencia de la Universidad de Stanford. A partir de ese momento Yamaha y Chowning trabajarían estrechamente para desarrollar una nueva serie de sintetizadores que utilizarían la síntesis FM. En 1977 Yamaha patentaría su implementación, y en 1981 sacó al mercado el primer sintetizador FM, el GS1. Sin embargo y dado que este modelo era muy caro, decidieron lanzar uno más asequible que tuvo un gran impacto en el mercado, el célebre DX7.

Img. 64. John Chowning y Sintetizador DX7 de Yamaha.

A mitad de los 80, Casio desarrolló un tipo de síntesis llamada Distorsión de Fase que no sólo era una variante de la FM, sino que produciría resultados similares. Esta síntesis la implementaría en sus modelos CZ.

Img. 65. Sintetizador CZ-1 de Casio.

En 1995 venció la patente de la Universidad de Stanford y permitió que la tecnología de la síntesis FM se pudiera usar libremente. Esto daría como resultado que nuevas compañías comenzaran a sacar al mercado implementaciones de la síntesis FM en instrumentos virtuales, como Native Instruments y su FM8, OPERATOR de Ableton live, etc.

Img. 66. *Plugin* FM8 de Native Instruments.

5. Síntesis vectorial

Cuando modulamos (frecuencia o amplitud) lo hacemos con una sola tabla de ondas (sinusoidal, triangular, etc…), es decir, valores ordenados de 0 a N, con índices de amplitud concretos. En la síntesis vectorial podemos alternar con dos al mismo tiempo y así obtener un espectro que varía constantemente.

En la imagen 67 vemos como no es ni una adición, ni una multiplicación, simplemente hacemos transición (*cross-fade*) de una onda a la otra de manera progresiva. En los casos que vamos a trabajar oscilaremos entre ambas señales a frecuencias altas, de modo que el resultado sonoro será muy diferente a las dos señales originales.

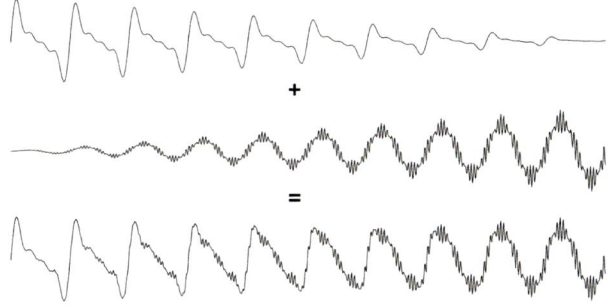

Img. 67. *Cross-fade* de una onda a otra.

La síntesis vectorial es un tipo de síntesis de audio introducida por Sequential Circuits en el sintetizador Prophet VS durante el año 1986. El concepto fue utilizado después por otros fabricantes como Yamaha, Korg, etc.

Img. 68. Sintetizador Prophet VS.

Este método parte de la idea de controlar la mezcla de varias ondas de sonido definiendo un punto en un vector plano, y en ciertos casos pudiéndolas controlar con un *joystick*. La síntesis vectorial le brinda movimiento al sonido proveyendo *cross-fading* dinámico entre diferentes fuentes de sonido.

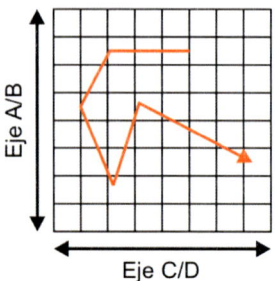

Img. 69. Vector 2D.

1

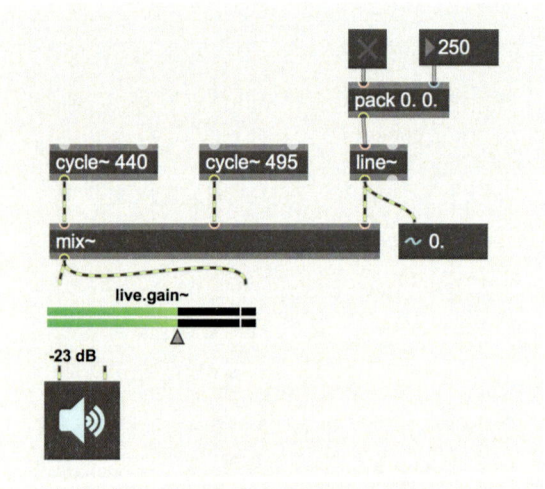

Img. 70. *Patch* Vectorial1.

En la imagen 70 vemos nuestra primera introducción a la síntesis vectorial. En este caso estamos utilizando dos osciladores sinusoidales a diferentes frecuencias. Al hacer clic en el *toogle* (o interruptor) oiremos una transición de una a otra. La velocidad de la transición dependerá del valor que pongamos en la caja de número entero.

El objeto *pack* está diciéndole al objeto *line~* que vaya a 1 o a 0 (los dos estados del *toogle)* en ese tiempo.

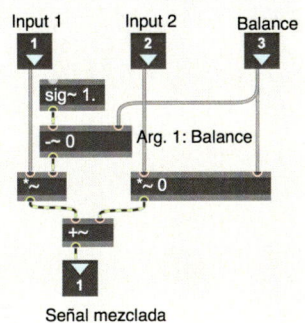

Img. 71. *Subpatch mix~* para Vectorial1.

Como vemos en la imagen 71, en el *subpatch* hemos hecho uso del objeto "-~" para restar los valores que entren por la 3ª entrada de modo que sean inversos, cuando activamos o desactivamos el interruptor.

La mezcla (o transición) es típicamente realizada por un oscilador más, frecuentemente utilizando generadores de envolventes o LFOs (osciladores de baja –o no tan baja – frecuencia).

<u>2</u>

En el siguiente ejemplo diseñaremos un sistema más versátil; usaremos dos fuentes de audio para escalar el rango (mínimo y máximo) de salida; cuando la señal de entrada se acerque al límite de entrada mínimo se oirá la primera fuente de audio, y cuando alcance el máximo oiremos la segunda fuente.

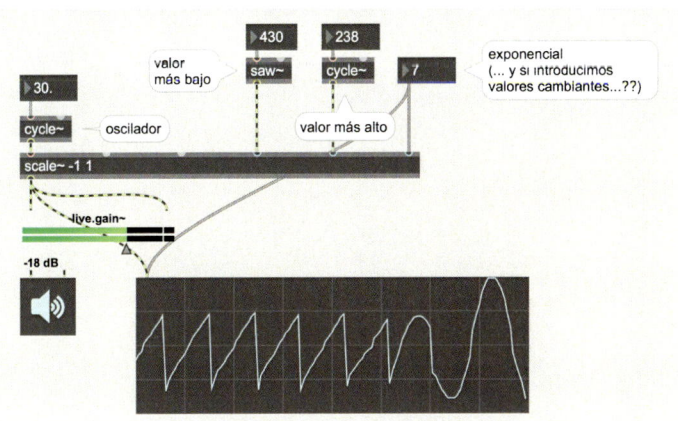

Img. 72. *Patch* Vectorial2.

Se podrían mezclar dos señales usando una *matrix~* pero no se podría hacer a velocidad de audio, y no se podría modular con un LFO.

3

En el siguiente ejemplo hemos conectado dos módulos de *cross-fading* en paralelo a través de un tercer gestor (*scale~*). Además, hemos incorporado un valor exponencial cambiante al gestor *master* para modular también la exponencialización de la transición entre un módulo y otro.

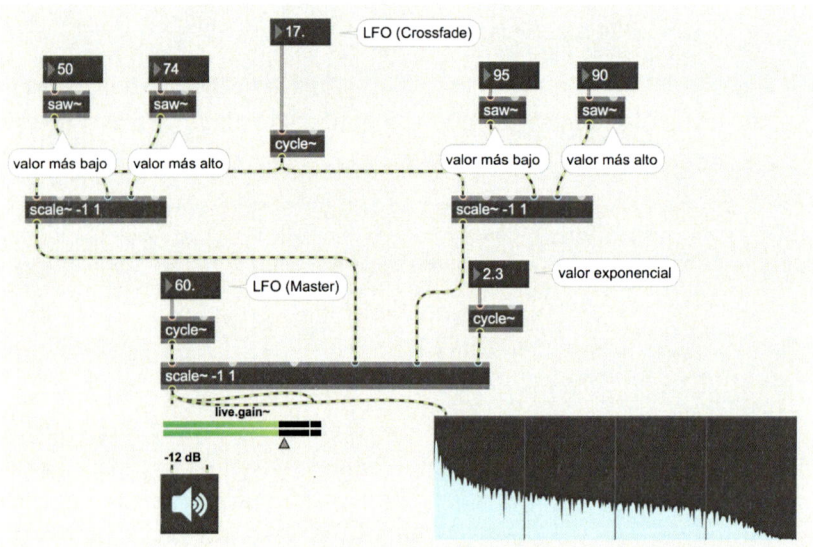

Img. 73. *Patch* Vectorial3.

Podríamos seguir conectando módulos de *crossfade* en cascada para conseguir resultados diferentes.

_4

En el siguiente ejemplo estaríamos aplicando coeficientes de multiplicación para obtener ratios a partir de la frecuencia que gestiona el *crossfade*.

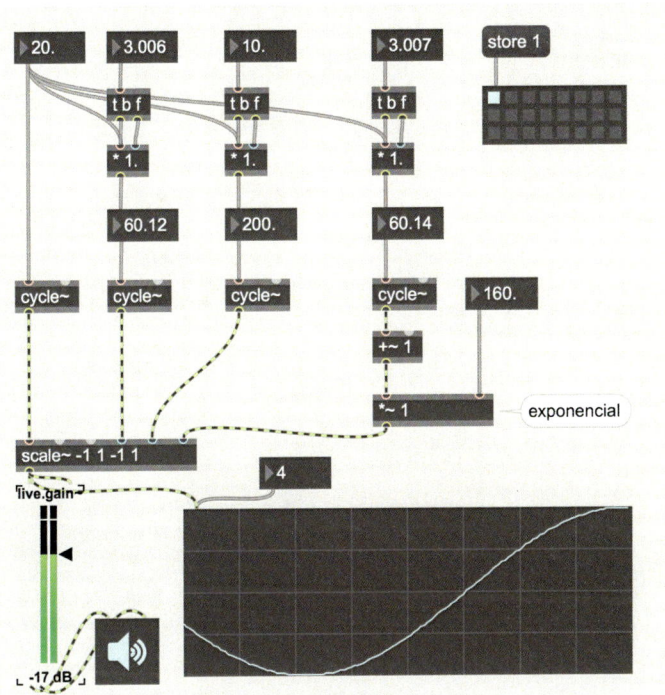

Img. 74. *Patch* Vectorial4.

En este ejemplo concreto, y dado que estamos utilizando valores relativamente bajos, podemos comprobar como surgen patrones rítmicos.

_5

Para finalizar nuestras prácticas con síntesis vectorial hagamos un *patch* que consiga similares resultados sonoros utilizando algunos recursos vistos en síntesis aditiva, sustractiva y vectorial.

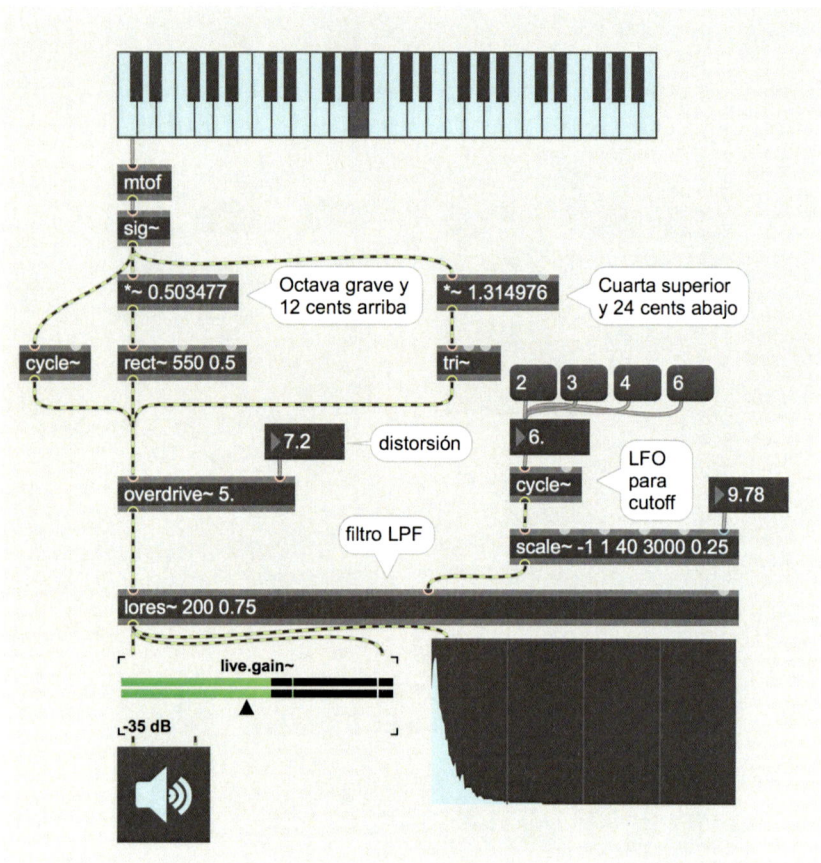

Img. 75. *Patch* Vectorial5.

El objeto *overdrive~* realiza una distorsión a la señal que le llega. Hemos utilizado el filtro *lores~* con un LFO para modular el *cutoff* a diferentes velocidades.

6. Tabla de ondas

Hasta ahora sólo hemos trabajado con formas de onda básicas. ¿Y si pudiéramos diseñarlas a nuestro antojo? Algo parecido debió pensar en 1970 Wolfgang Palm, ingeniero desarrollador de sistemas y software cuando generó el concepto de "*wavetable*" y fundó la empresa PPG.

Las ondas básicas se leen siempre en forma de bucle, lo cual significa que la producción de ciclos será siempre repetida. En la síntesis por tabla de ondas, en lugar de una forma simple y fija habrá un pequeño juego de formas, así la variedad tímbrica se conseguirá visitando esa colección de formas almacenadas en una tabla, pasando de unas a otras en un barrido.

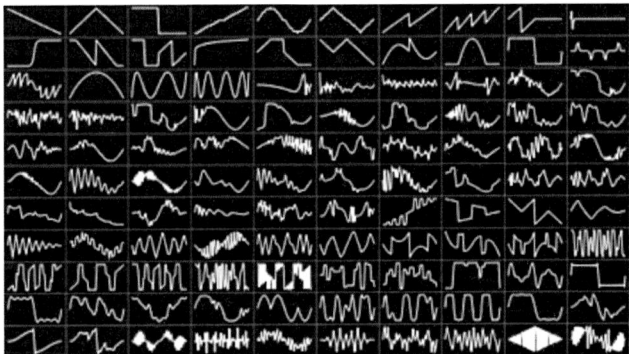

Img. 76. Tabla en "Circle soft synth" por Future Audio Workshop.

En un alarde de diseño, los fabricantes de sintetizadores podían incluso llamar sólo a ciertos *samples* al hacer la lectura en la tabla y así generar rangos concretos (por ejemplo, una octava específica). De este modo se economiza memoria y recursos del procesador.

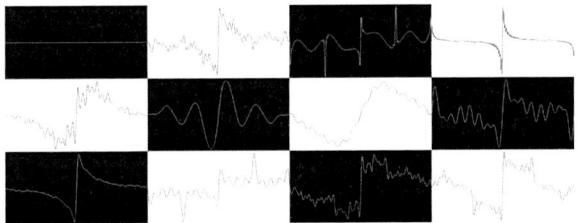

Img. 77. Fragmento de la tabla del módulo del sintetizador Kawai K3.

En este capítulo diseñaremos las formas de onda que ya conocemos: sinusoidal, triangular, cuadrada y otra basada en la campana de Gauss (*gaussiana*); después las pintaremos!

1

Para empezar nuestro diseño de ondas en Max MSP comenzaremos con la sinusoide. En este caso la vamos a crear mediante la función matemática seno. Primero debemos crear la tabla y la vamos a definir mediante el objeto *peek~* (que puede leer y escribir los valores de un *sample*) y el objeto *buffer~*. A los dos debemos ponerles el mismo nombre. Como vemos en la imagen 78, le hemos dado el valor de 11.6. ¿Por qué? Porque es el valor que resulta de dividir 1000 milisegundos entre 44100 partes (frecuencia de muestreo), así averiguamos los ms que dura un ciclo; después lo multiplicamos por 512, que serán las partes que tendrá nuestra tabla.

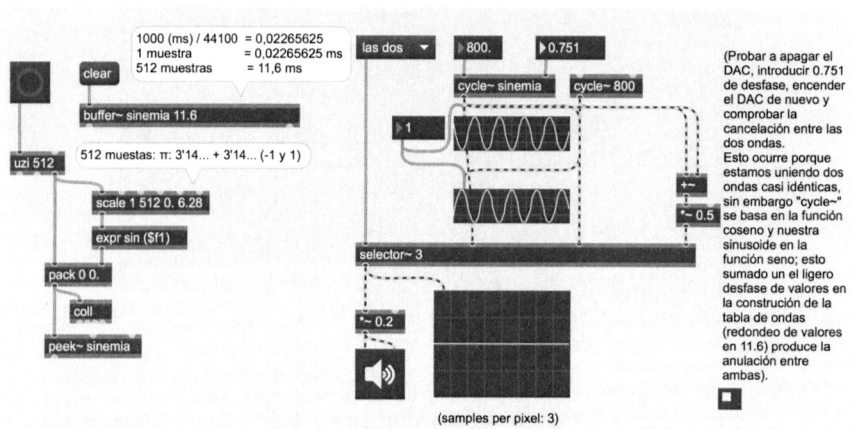

Img. 78. *Patch* Wavetable1.

A continuación, hemos usado el objeto *uzi*, que genera tantos *bangs* como le asignemos. Este objeto nos devuelve el listado de los *bangs* por la tercera salida. Este listado lo vamos a utilizar para escalarlos: del 1 a 512 serán del 0. a 6.28. El valor 6.28 es aproximadamente el doble del número Pi (que es el valor que define el cociente entre la longitud de la circunferencia y la longitud de su diámetro). Así, al aplicar la función seno (la vemos escrita en el objeto *expr*) tendremos el cálculo final de la forma sinusoidal. Sólo nos queda emparentar la lista de nuestros *bangs* (*1, 2, 3…512*) con los valores de la función seno. En el objeto *coll*, que hemos colocado después de empaquetarlos con *pack*, podemos ver el resultado de este índice.

```
1 │ 1, 0.;
2 │ 2, 0.012289;          508 │ 508, -0.05232;
3 │ 3, 0.024577;          509 │ 509, -0.040043;
4 │ 4, 0.036861;          510 │ 510, -0.027761;
5 │ 5, 0.049139;          511 │ 511, -0.015474;
6 │ 6, 0.061409;    ...   512 │ 512, -0.003185;
```

Img. 79. Contenido del *coll* del *Patch Wavetable1*.

Si hacemos doble clic en el objeto *peek~* o *buffer~* podemos visualizar el resultado gráfico de la función.

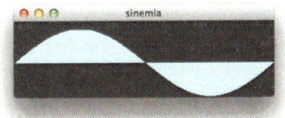

Img. 80. Ventana del objeto *peek~* en el *Patch Wavetable1*.

2

Con el siguiente cálculo tendremos nuestra tabla triangular:

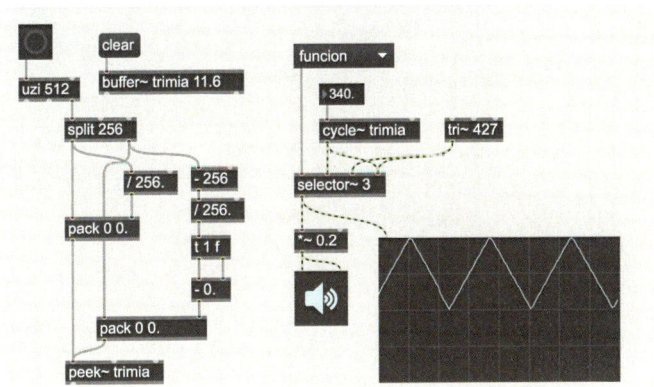

Img. 81. Cálculo del *Patch Wavetable2*.

En primer lugar, lanzamos nuestros 512 números divididos en dos tramos con el objeto *split*. Los primeros 256 irán del 0 al 1 (al dividirlos entre 256) y los del segundo tramo irán en negativo (restando 256) del 1 al 0 (al dividirlos de nuevo por 256 y ser restados al 0). Después los empaquetamos con el objeto *pack* y volvemos a tener el índice con el orden y con los valores de las rampas de la función triangular.

Si quisiéramos anular ambas con un desfase de 0.5 (más el consecuente desfase por el redondeo del valor 11.6), veríamos que no es posible, ya que la arquitectura del objeto *tri~*, y nuestra onda son diferentes en valores, y por tanto no es posible que se anulen con el desplazamiento de la fase.

__3

En el siguiente ejemplo hemos creado el cálculo para obtener una forma cuadrada. Podemos comparar el resultado con la forma nativa que incluye Max MSP (objeto *rect~*) y darnos cuenta que en este último hay algo más que unos cuantos cálculos básicos para el diseño de una forma de onda (evita el *aliasing*).

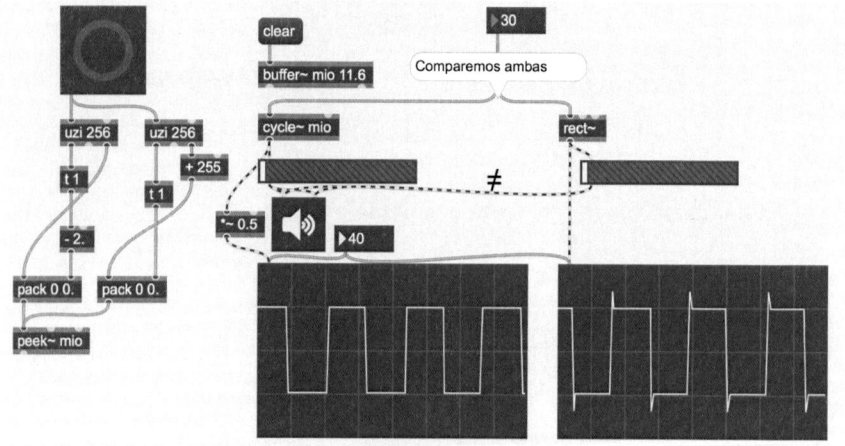

Img. 82. *Patch* Wavetable3.

__4

Habría otra manera de conseguir un tipo de onda cuadrada, en el siguiente ejemplo lo conseguiremos manipulando los valores de una dientes de sierra (*sawtooth*). Empezaremos con un *phasor~* (que genera valores de 0 a 1 y vuelta a empezar). Le pondremos una suerte de condicional para que saque 1 cuando los valores sean mayores que 0.5 y 0 cuando sean menores que 0. Después lo reducimos todo a la mitad (*-~ 0.5*), y por último lo multiplicamos por el factor que deseemos para el rango final (en este ejemplo *~ 0.8*).

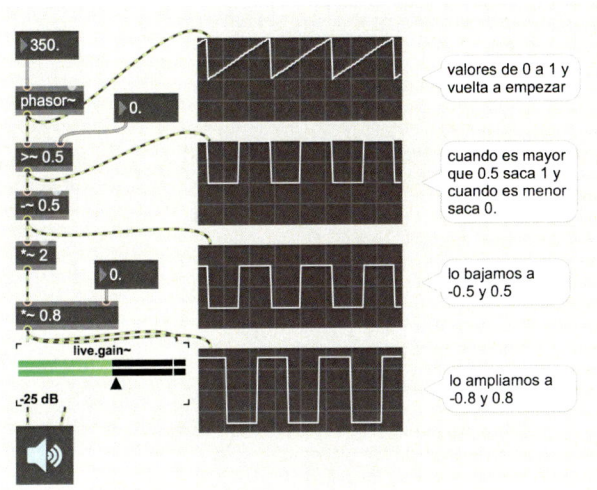

Img. 83. *Patch* Wavetable4.

5

En el siguiente ejemplo vamos a crear una onda con la forma de la función de la campana de Gauss.

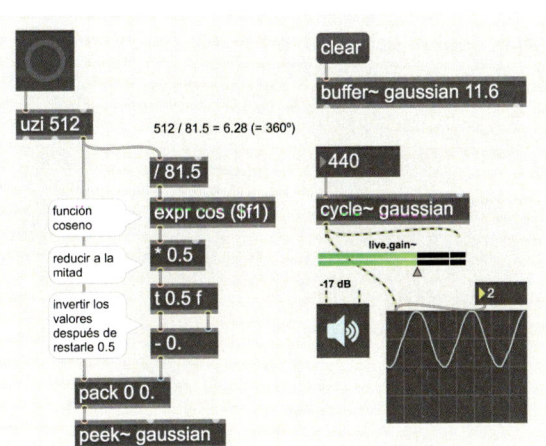

Img. 84. Función para *Patch Wavetable5*.

El cálculo ha sido el siguiente: dividimos cada uno de los números de la lista (1 a 512) entre 81.5, que es el factor para obtener 2 veces Pi (una vuelta completa o

360º). Aplicamos la función coseno, reducimos los valores a la mitad y por último invertimos cada uno de ellos después de restarle 0.5.

6

Podríamos conseguir el mismo diseño de onda con una fórmula algo más compleja pero basada en el mismo principio.

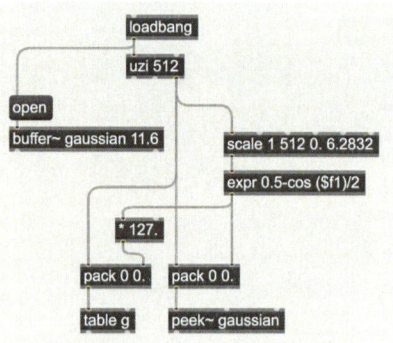

Img. 85. *Patch* Wavetable6.

El parámetro * 127. ajusta los valores al rango de la tabla; además, debemos ajustar a 512 el tamaño de la tabla en el inspector del objeto.

Al abrir el *patch* podemos ver también la representación de la forma de la función mediante el objeto *table*.

Img. 86. Ventanas de *peek~* y de *table* en *Wavetable5*.

7

El siguiente ejemplo nos muestra como hay objetos que nos pueden facilitar el modelado de señales desde otro punto de vista. En este caso vemos como con el objeto *kink~*, que es un distorsionador de dientes de sierra (*sawtooth*), podemos mutar una sinusoide a una *sawtooth* y viceversa. Además, el objeto *overdrive~*

nos permite deformar la salida de la sinuoide haciéndola más cuadrada o más triangular. Las cajas de número tienen algunos rangos establecidos en el inspector para acotar los resultados de este ejemplo.

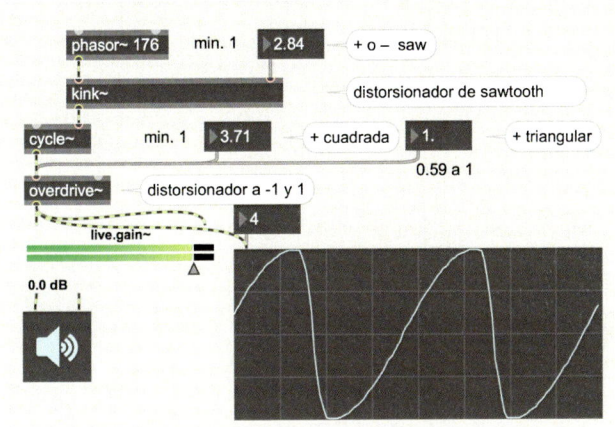

Img. 87. *Patch* Wavetable7.

Como vemos en la imagen 87, mediante el objeto *phasor~* podemos controlar la altura de un *cycle~* con su entrada derecha (cambiando tantas veces como queramos por segundo su fase).

8

Afortunadamente los objetos de diseño gráfico de Max MSP nos permiten diseñar las formas de onda de manera más intuitiva y creativa, sin necesidad de pasar por las funciones matemáticas.

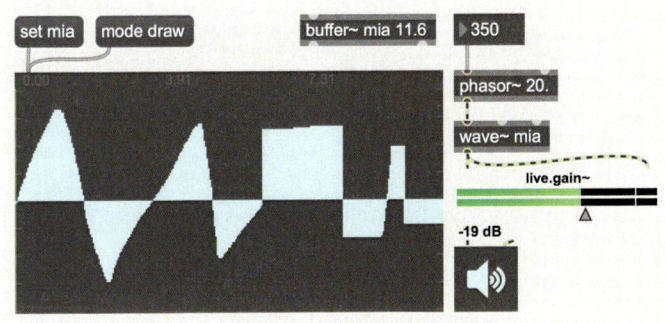

Img. 88. *Patch* Wavetable8.

En la imagen 88 vemos como a través del objeto gráfico *waveform~* en modo "*draw*" (que tenemos que definir mediante el mensaje "*mode draw*" o en el inspector del mismo objeto) y el objeto *buffer~* (al que le tenemos que dar un nombre y una duración) podemos pintar a nuestro gusto la forma de una onda.

_9

En el siguiente ejemplo vamos a diseñar una onda a través del objeto *table,* que vimos en el ejemplo 5. Primero abrimos el objeto *table* y dibujamos nuestra onda. Así estamos definiendo los valores, aunque sólo vamos a utilizar el eje Y, es decir, los valores que hemos pintado, pero en el eje vertical. El índice de cada valor lo obtendremos del objeto *uzi*. Debemos ajustar los parámetros de rango y tamaño en el inspector del objeto *table* a nuestra tabla de 512 valores.

Img. 89. Ventana del objeto *table* e inspector del objeto para el *patch Wavetable9.*

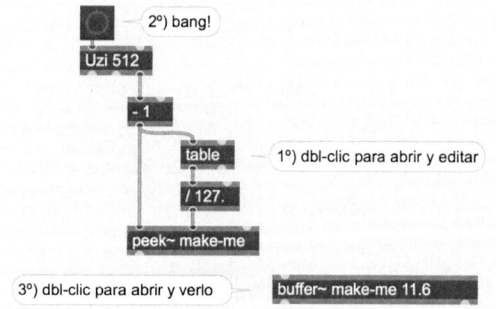

Img. 90. *Patch* Wavetable9.

_10

En el siguiente ejemplo vamos a implementar este método a un teclado MIDI para controlar la altura a la manera de un sintetizador por tabla de ondas. En este caso hemos utilizado el objeto *xnotein*, que nos devuelve 0 o 1 según si tenemos un mensaje de *note on* o *note off*. Esta particularidad nos va a permitir crear un comportamiento diferente: la nota que toquemos tendrá la altura correspondiente solo al soltar la nota; creando una suerte de "teclado apoyatura". La envolvente dinámica la definirá el valor de *velocity* de nuestro teclado (2ª salida del objeto *xnotein*), la división de estos valores / 127. y el objeto *line~*. El objeto *gswitch2* nos hará de interruptor y dejará pasar el valor de la frecuencia solamente cuando reciba el valor 0 (*note off*).

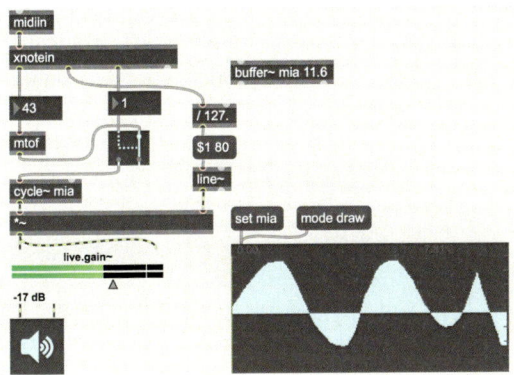

Img. 91. *Patch* Wavetable10.

11

En el siguiente ejemplo vamos a diseñar una onda cuadrada formada sólo por una fundamental y sus dos primeros armónicos (fx3 y fx5), y la vamos a reproducir con el mismo teclado del ordenador. Así mismo también podremos diseñarla pintando con el ratón en la superficie del objeto *waveform~*. En este caso vamos a usar el objeto *wave~*, que permite leer la información de un *buffer* (al igual que el objeto *cycle~*), y además permite más opciones de uso (velocidad/frecuencia de reproducción y punto de inicio y final de la tabla para la lectura de valores).

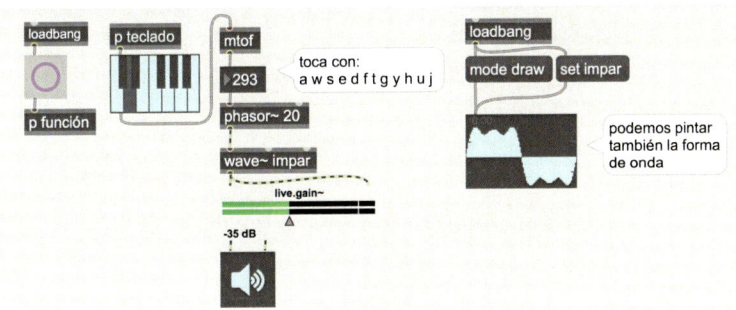

Img. 92. *Patch* Wavetable11.

Como vemos en la imagen 93, hemos añadido 3 funciones seno con ratio 1, 3 y 5. El 3º y el 5º tienen la reducción de su propia ratio para compensar la suma a la fundamental (ver imagen 9).

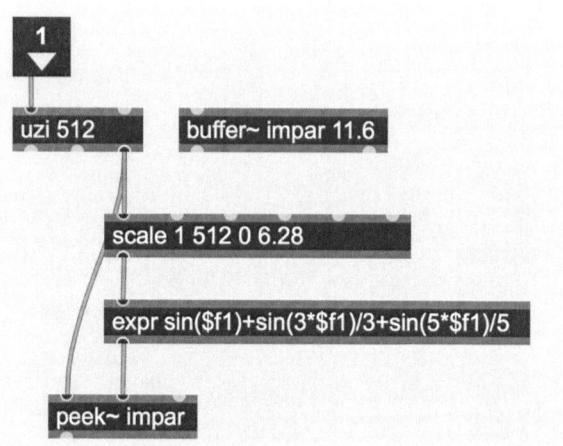

Img. 93. Subpatch función del *Patch* Wavetable11.

Con la ayuda del objeto *key* y el objeto *if* hemos asignado las letras "a, w, e, s, d, r, f, t, g, y, h, u, j" para que disparen las notas "do, do#, re, re#, mi, fa, fa#, sol, sol#, la, la# y si" respectivamente. El objeto *kslider* tiene un rango específico (establecido en su inspector) para representar la altura MIDI de una octava).

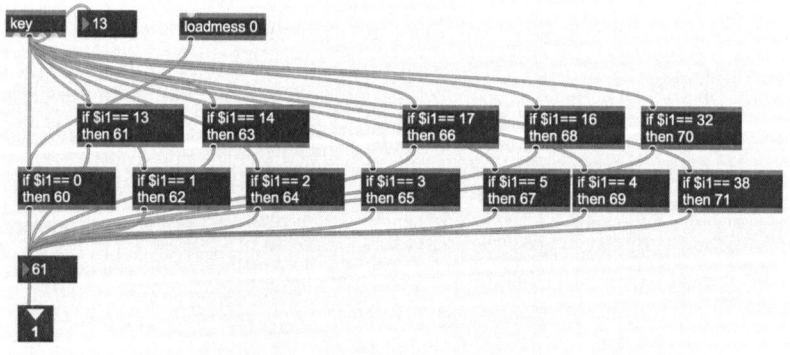

Img. 94. Subpatch teclado del *Patch* Wavetable11.

12

Para finalizar este capítulo vamos a conocer el curioso y versátil objeto *2d.wave~*. Este objeto nos permite hacer una lectura en dos dimensiones de cualquier sonido cargado previamente en un *buffer*. Como vemos en la imagen 95, tenemos una pista, que puede ser troceada en tantas partes como queramos (en este caso han sido 4). Este argumento lo indicamos por medio del mensaje *rows $1*.

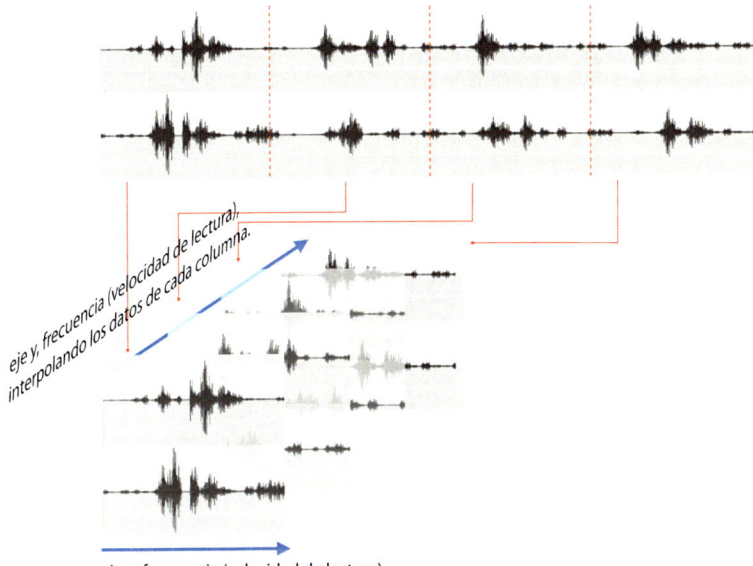

Img. 95. Funcionamiento del objeto *2d.wave~*.

Como vemos en la imagen 96, los dos *phasor~* gestionan respectivamente, tanto la velocidad de lectura (frecuencia) del eje x como la del eje y, interpolando en cada caso los datos de cada dimensión. Tenemos a nuestra disposición otros parámetros de control, como: punto de inicio y fin de lectura de la tabla (en milisegundos) y número de canales.

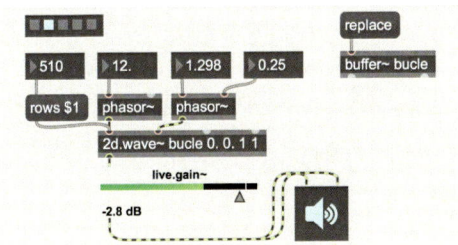

Img. 96. *Patch* Wavetable12.

7. FFT

Volvemos a encontrarnos con Joseph Fourier, pero esta vez para estudiar la síntesis que utiliza su nombre: *"fast Fourier transform"*, es decir, la transformada rápida de Fourier. Si existe la rápida, ¿podemos pensar que existe una lenta? Existe la DFT o *"discrete Fourier transform"* (transformada discreta – elementos separados – de Fourier) que es la manera original de averiguar cada una de las frecuencias de una onda compleja a partir del análisis de sus partes.

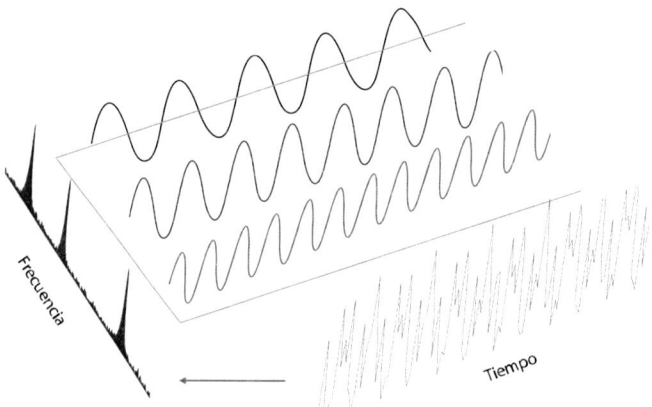

Img. 97. Proceso de la FFT.

Hasta ahora hemos estado trabajando en el dominio del tiempo, y casi todos los resultados los hemos visualizado en un osciloscopio (objeto *scope~*). Sin embargo, este tipo de síntesis utiliza un procesamiento de la señal que nos transforma tiempo en frecuencia; es decir, a partir de cualquier forma de onda podemos conocer los componentes que la forman.

El algoritmo de la FFT, cuyos orígenes se remontan a 1805 de la mano de Johann Carl Friedrich Gauss, tiene este aspecto:

$$F\left(\omega\right) = \int_{-\infty}^{\infty} f(t)e^{-j\omega t}\, dt$$

Img. 98. Algoritmo de la FFT.

No nos vamos a parar a explicar las partes del algoritmo; necesitaríamos abarcar la definición matemática del movimiento armónico simple, la identidad de Euler, los números complejos y cuestiones teóricas de audio digital. Por ahora nos vamos a quedar con la esencia del proceso: vamos a poder manipular los parámetros del espectro de una onda a partir del análisis de su forma.

Antes de abordar las prácticas en Max MSP debemos conocer algunos detalles importantes.

Cuando visualizamos el espectro de un archivo de audio, el propio sistema viene configurado para ofrecernos una resolución. Es decir, un audio que tiene 44100 muestras por segundo (*samplerate,* o frecuencia de muestreo), podría agruparlas en bloques por cuestiones de economía visual y de rendimiento. En la imagen siguiente tenemos el análisis de un archivo de audio *stereo* a lo largo del tiempo. Ahora debemos fijarnos en el eje vertical (Y), que nos va mostrando la cantidad de "armónicos" que tiene cada instante.

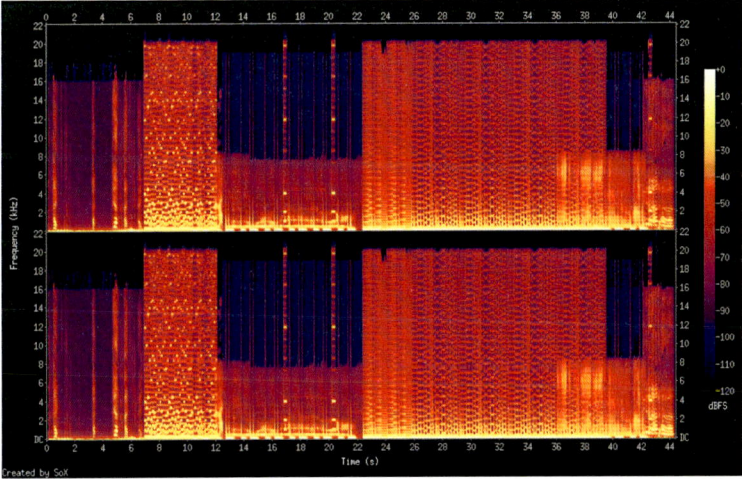

Img. 99. Análisis espectral de un archivo de audio *stereo.*

En este punto debemos empezar a hablar de "bandas".

En la imagen 100 podemos ver varios osciladores (a diferentes velocidades), y todos ellos sumados forman la onda compleja que vemos en rojo. De lo que se trata es de analizar cada instante frecuencialmente para averiguar cada componente (parcial). Sin embargo, y como hemos dicho anteriormente, vamos a establecer bandas (grupos) para hacer el análisis más efectivo y economizar rendimiento.

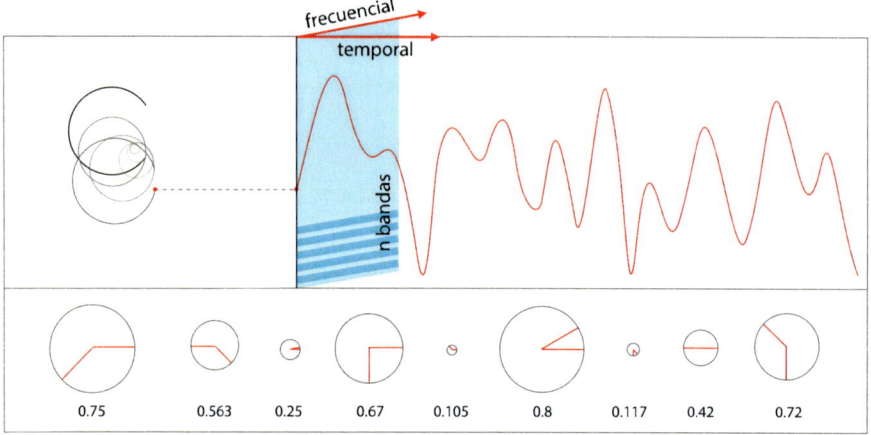

Img. 100. División en n bandas para un *sample* en una onda con 9 parciales.

Si dividimos la frecuencia de muestreo (44100) en un número concreto de bandas, por ejemplo 512 (siempre un valor múltiplo de 2), tendremos un análisis por cada 86.132 Hz de ancho de banda. Sin embargo, y dado que las frecuencias que vamos a analizar llegan a la mitad de este valor (hasta 22050 Hz, por el teorema de Nyquist) tendremos un valor operativo de 256 bandas.

Aún necesitamos introducir otro concepto: *windowing*.

Como el algoritmo que hemos visto viene del mundo analógico, el cálculo se realiza entre los valores de menos infinito e infinito; así pues, cuando vamos al dominio digital, en el que esto no es posible, necesitamos aplicar una suerte de *"fade in/out"* a estos valores. Usaremos una función matemática que lo haga, llamada "ventanaje" (*windowing*), y así eliminar el ruido que se podría introducir al sistema, además de controlar mejor el procesamiento posterior de las frecuencias. En la imagen 101 podemos ver una función concreta aplicada a cada una de las bandas.

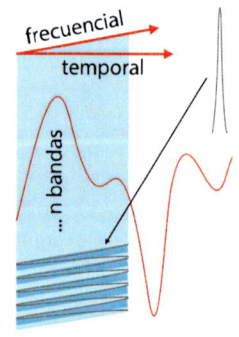

Img. 101. Ventana.

Existen multitud de funciones matemáticas para el "ventanaje" en el análisis FFT, y el uso de cada una de ellas proporcionará un tipo de resultado.

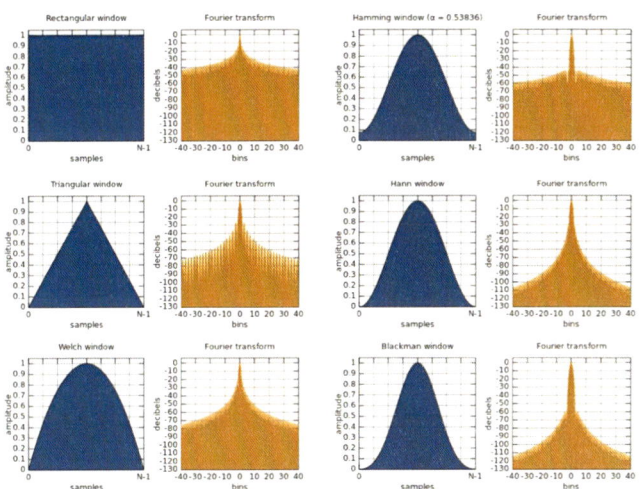

Img. 102. Algunos tipos de ventana (*Wikimedia Commons*).

Veamos una comparativa entre varios tipos de ventana y los resultados que proporcionará cada uno de ellos en el procesamiento de audio:

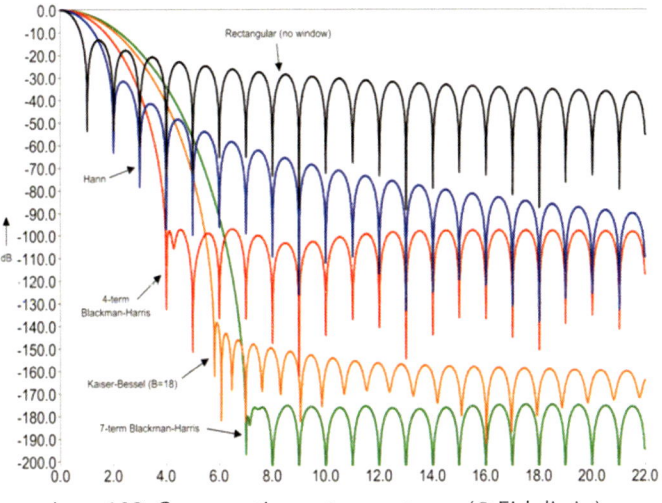

Img. 103. Comparativa entre ventanas (© Fidelix.jp).

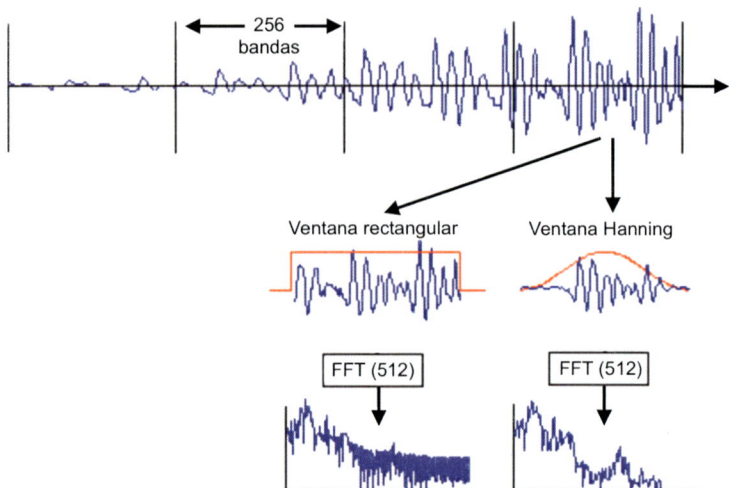

Img. 104. Diferentes resultados según el ventanaje (© Don Johnson, *Creative commons* para OpenStax CNX.).

Sin embargo, como podremos imaginar, si usamos por cada una de las bandas un tipo de ventana podremos tener pérdidas de cálculo entre una banda y otra (cada lóbulo, "*lobe*", tendrá un nivel de pérdida):

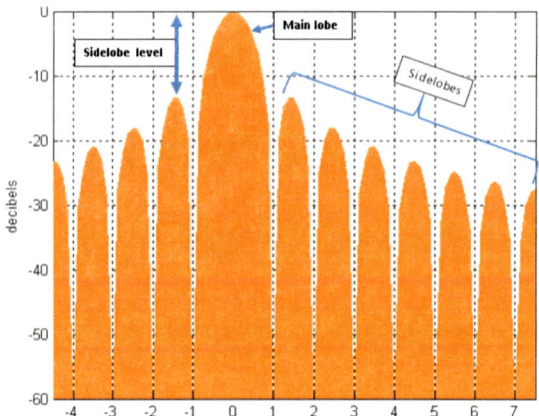

Img. 105. Pérdidas en una ventana rectangular (*Wikimedia Commons*).

Además, no siempre nos va a coincidir el ancho de banda, el periodo de la onda y la ventana de una manera perfecta y sin errores.

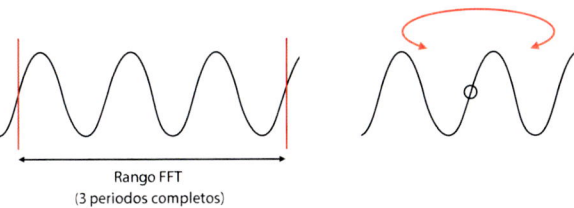

Img. 106. Tres periodos con punto de unión coincidente.

Podemos encontrarnos con desfases o truncamientos por puntos no coincidentes en el cálculo.

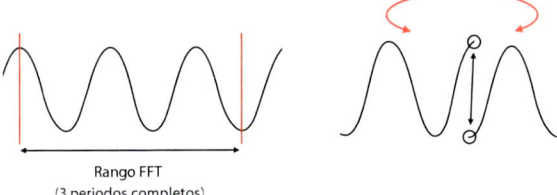

Img. 107. Tres periodos con punto de unión no coincidente.

Estos desfases y las pérdidas entre cada banda las podemos salvar haciendo un solapamiento entre ventana y ventana: *"overlapping"*. De este modo creamos un fundido entre un bloque y otro y así suavizamos los errores y los truncamientos propios del proceso.

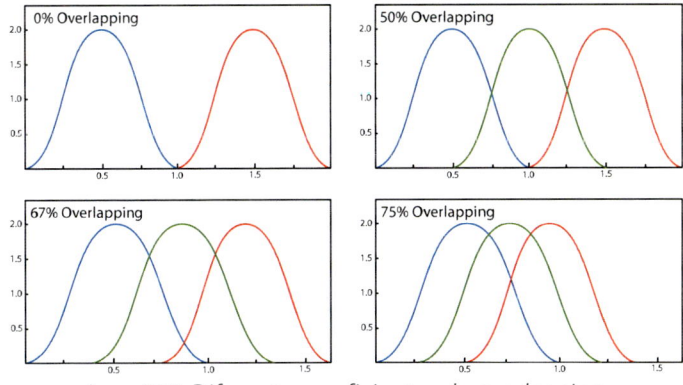

Img. 108. Diferentes coeficientes de *overlapping*.

Tendremos que tener en cuenta que, en términos de computación, más *overlapping* ocasionará mayor carga de procesado.

Una vez conocida la parte teórica de la síntesis FFT veamos las herramientas que podemos crear en Max MSP.

1

Una de las primeras aplicaciones que podemos hacer con la síntesis FFT, pero esta vez desde el análisis de espectro en el tiempo, es el filtrado de una señal. En el siguiente ejemplo hemos fabricado los cuatro tipos de filtros básicos mediante FFT. En primer lugar, creamos el objeto *pfft~*, al que debemos darle un nombre y un número de bandas. También podemos definir el coeficiente de *overlapping* (por defecto viene establecido en 2).

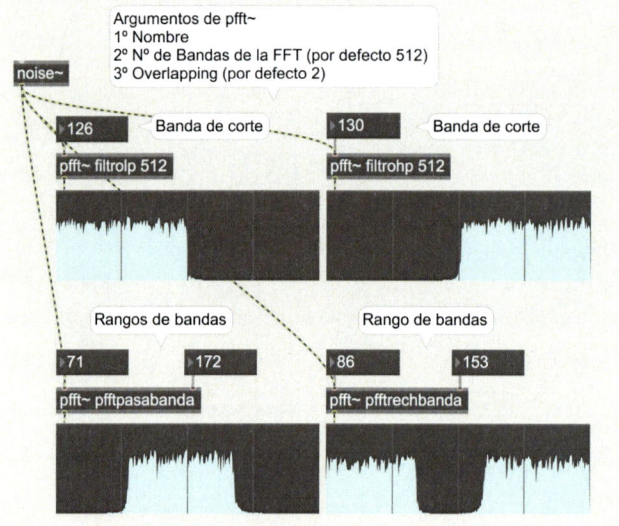

Img. 109. *Patch* FFT1.

Veamos cómo podemos operar con la FFT. En primer lugar, debemos crear un *subpatch* en el que introduzcamos el cálculo y guardarlo en la misma ubicación del *patch* principal. Como vemos en la imagen 110, los primeros objetos que necesitamos son *fftin~* y *fftout~*, que serán las entradas y salidas a nuestro *subpatch* de FFT. Mediante estas entradas y salidas se van a procesar las intensidades y las fases de nuestra señal para descomponerlas en números reales e imaginarios, obteniendo intensidad/frecuencia y fase/frecuencia respectivamente, todo esto a velocidad de *samplerate*. Tendríamos que pensar que todas las frecuencias con sus correspondientes ganancias pasan por el cable de señal al mismo tiempo. Por la tercera salida va el índice de bandas (de 1 a 512, en este caso y porque así lo hemos definido en el objeto *pfft~*). Como dijimos anteriormente, el número de bandas está directamente relacionado con el *samplerate*, sin embargo, en el dominio de la frecuencia se reduce a la mitad (teorema de Nyquist); es por esto que, si introducimos el valor de 256 en la frecuencia de corte de nuestro "filtrolp" (imagen 109) dejaremos paso a todo el espectro audible (hasta 22050 Hz).

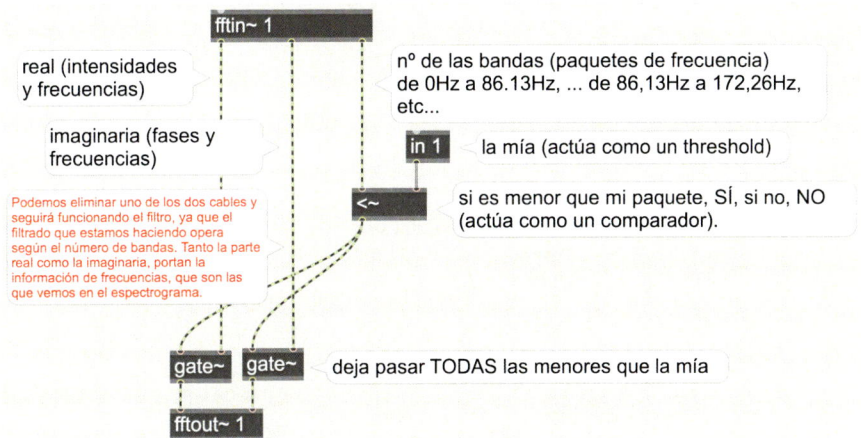

Img. 110. *Subpatch* filtrolp FFT1.

Con la ayuda del objeto "<~" y el objeto "*gate~*" estamos seleccionando sólo las bandas (de frecuencia) que queremos dejar pasar (en este caso actúa como un filtro pasa-bajos). Si llega la frecuencia que queremos dejar pasar o una inferior, mandamos un 1 a *gate~* y pasarán al *fftout~* (salida). Para crear un filtro pasa-altos haremos justo lo contrario: utilizaremos el objeto ">~". Para el filtro pasa-banda y el rechaza-banda tendremos que operar de un modo diferente, utilizaremos dos puertas, una para cada extremo del filtro.

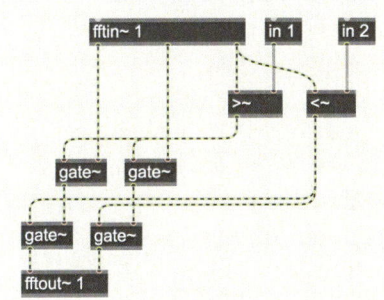

Img. 111. *Subpatch* pfftpasabanda del *patch* FFT1.

Es importante saber que, para hacer operativo cualquier cambio en un *subpatch* de *pfft~*, se requiere: guardarlo, regresar al *patch* principal para alterar algo del objeto (o borrarlo, cambiar un dato, etc..) y deshacer esta última acción. De este modo el programa refresca los cambios realizados y se consolidan. De no ser así, no se ejecutarán los cambios en el *subpatch*.

2

En el ejemplo siguiente podemos ver algo más sencillo. Simplemente hemos multiplicado las amplitudes de una señal por las fases (frecuencias) de la otra señal y viceversa. Como ya mencionamos en el capítulo 2, este proceso se llama convolución.

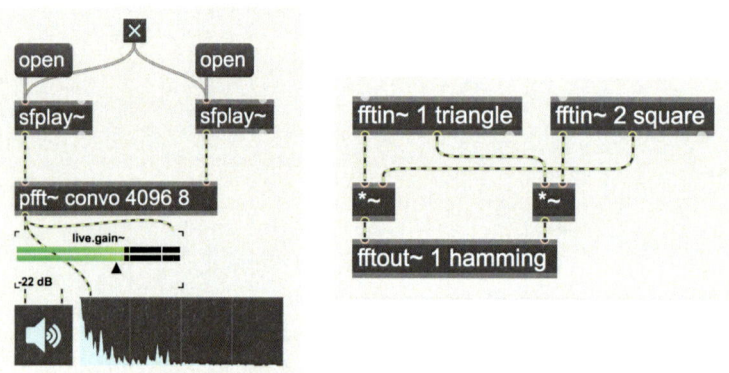

Img. 112. *Patch* y *subpatch* FFT2.

El tipo de ventana que viene establecida por defecto a través de los objetos *fftin~* y *fftout~* es la Hann, aunque podemos configurarla con otras funciones disponibles: *square, triangle, hamming y blackman*. Cada una de ellas nos dará un resultado sonoro diferente.

3

En el siguiente ejemplo podemos llevar el objeto *gate~* y condicional (>~ o <~) un paso más allá. Como vemos en la imagen 113, ahora estaremos dejando pasar una u otra frecuencia de nuestro archivo de audio mediante un valor de filtro (mediante la sustracción -~ *1~*). Si calcula "menor que…" lanza 1 a los *gate~* de la izquierda, en otro caso lanzará 1 (0 −1 = −1 → *abs~* = 1) a las de la derecha.

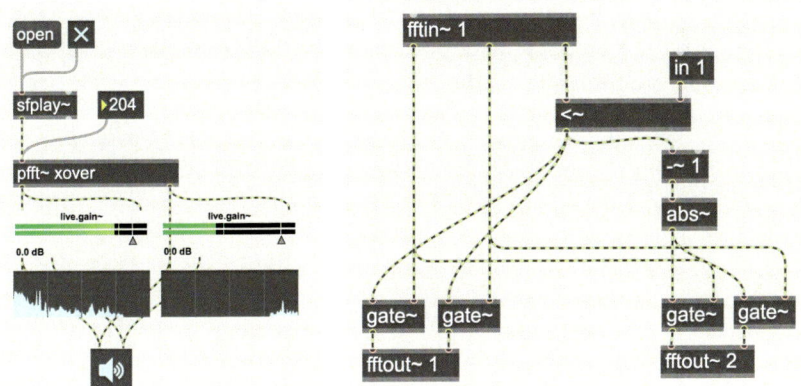

Img. 113. *Patch* y *subpatch* FFT3.

4

El objeto estrella de la síntesis FFT es el objeto *cartopol~* y su inverso *poltocar~*. Con ellos podemos transformar coordenadas cartesianas a polares y viceversa. Esto quiere decir que los números reales e imaginarios de nuestra señal serán convertidos en amplitud y fase respectivamente (o, al contrario) y así poder operar con ambos.

En el siguiente ejemplo vamos a dejar pasar sólo ciertos niveles de intensidad con sus correspondientes frecuencias de un archivo de audio, de modo que fabriquemos una suerte de puerta espectral.

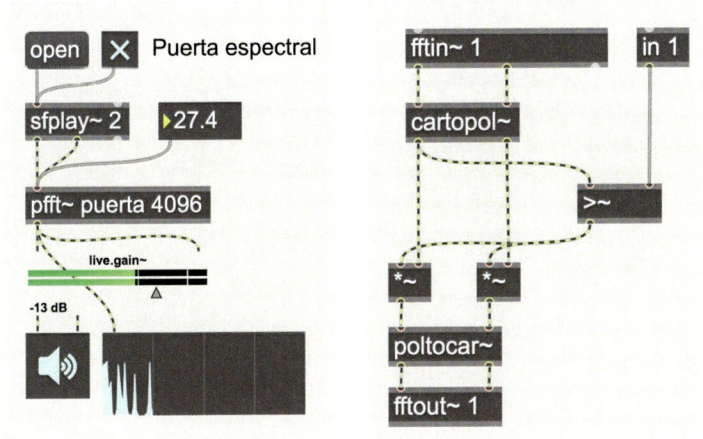

Img. 114. *Patch* y *subpatch* FFT4.

Los objetos *cartopol~* y *poltocar~* tienen un consumo de recursos importante, es por esto que, en la medida de lo posible, deberíamos economizar este objeto en el proceso que programemos, sobre todo si definimos un número de bandas y un factor de *overlapping* alto.

A continuación, vemos dos ejemplos iguales con diferente carga y consumo de CPU:

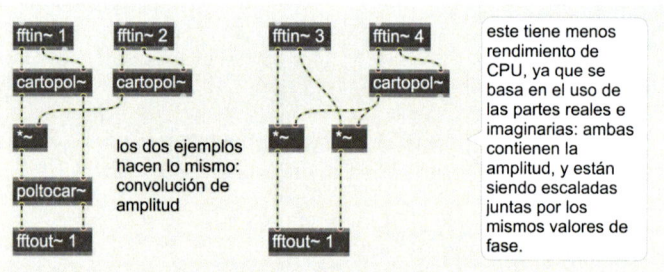

Img. 115. *Subpatch* FFT5.

 5

En el siguiente ejemplo fabricaremos un *crossfade* múltiple, como lo haría un filtro en cascada. Hemos integrado el ejemplo 1 en un solo proceso.

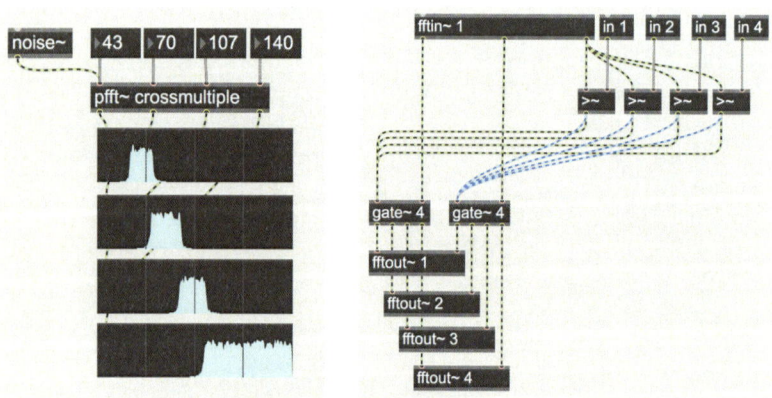

Img. 116. *Patch* y *subpatch* FFT6.

_6

A continuación, vamos a programar nuestro propio analizador y sintetizador de voz, más conocido como *vocoder,* el cual tuvo su origen en la década de 1930 como un codificador de voz para telecomunicaciones. Este se convirtió después en un recurso musical como instrumento, usado con guitarras y sintetizadores y produciendo un sonido de guitarra o teclado parlante.

En primer lugar, tendremos que fabricar nuestro *subpatch* donde irá alojado el proceso FFT.

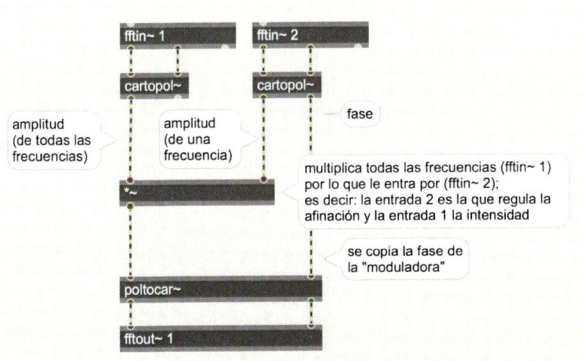

Img. 117. *Patch* FFT7.

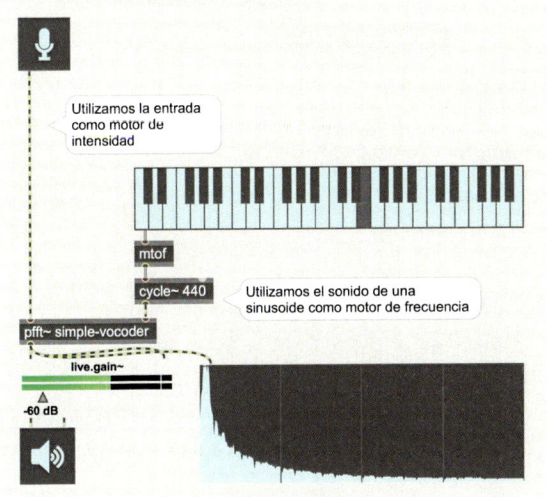

Img. 118. *Subpatch* FFT7.

Como vemos en el *subpatch* del *vocoder* estamos multiplicando la amplitud de una frecuencia concreta *(fftin~ 2)* por la de la señal entrante *(fftin~ 1)*. Con lo cual, sólo aquella que entra a través del teclado generaría valores por encima de 0. y darían un resultado positivo.

___7

Sin embargo, hay una pega, y es que estamos intentando emular la voz, sin embargo, el habla tiene fonemas asonantes que se parecen mucho a un ruido (blanco, rosa, etc.., dependiendo del filtrado), así pues, a nuestro *vocoder* aún le falta este sonido consonántico. Vamos a programar un complemento que añada este sonido consonante.

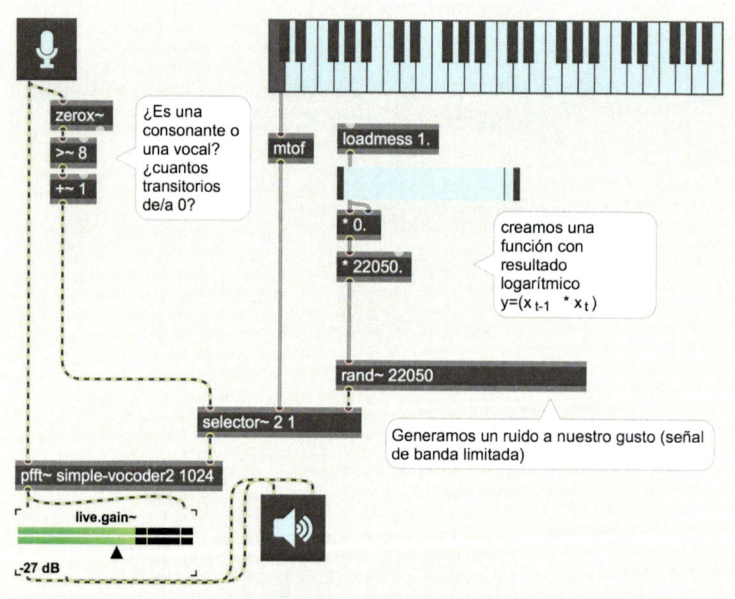

Img. 119. *Patch* FFT8.

En este ejemplo hemos añadido un gestor que "decide" si la entrada tiene componente armónico (o, mejor dicho, con altura definida) o si transita demasiado alrededor de 0. En este último caso lanzará nuestro ruido, que hemos diseñado con la ayuda del objeto *rand~*, que nos permite ajustar el ancho de banda de nuestro ruido (así lo "coloreamos" a nuestro gusto). El *subpatch* es el mismo que el ejemplo anterior.

_8_

En el siguiente ejemplo vamos a crear un filtro espectral. En primer lugar, vamos a "contaminar" una inocente diente de sierra con un ruido. Proponemos una generación de frecuencias aleatorias de 0 a 127 (MIDI) y con la ayuda de *mtof* (MIDI *to frequency*) las convertimos en frecuencia y así poder leerlas un *saw~* (ya sabemos que *line~* nos crea rampas en el tiempo que queramos – en este caso 20 ms). Para que funcione el *metro* tenemos que activar el *global transport* (ubicado en la pestaña *"extras"* en Max MSP).

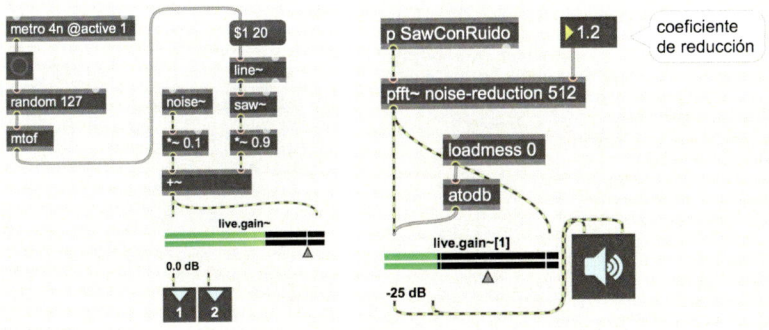

Img. 120. *Patch* y *subpatch* de FFT9.

Ahora sólo nos queda programar para que haga un análisis de espectro, y cuando detecte cualquiera de ellas con algo de ruido no la deje salir.

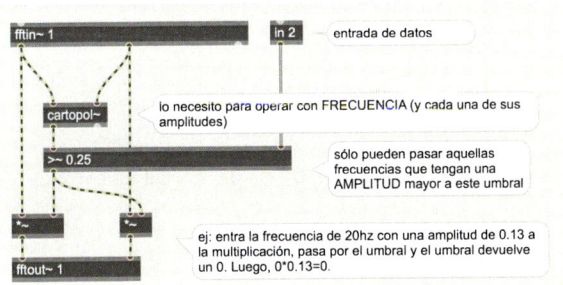

Img. 121. *Subpatch* pfft~ *noise-reduction* de FFT9.

Por la entrada 2 (que no es una entrada con procesamiento FFT, sino una entrada de número decimal), le podemos introducir el coeficiente de reducción, es decir: cuando detecte algo mayor de *x* las dejará pasar (ya sabemos que el objeto ">~" nos devuelve un 1, en otro caso, 0).

_9

En un paso algo más complejo, vamos a diseñar un nuevo filtro, pero esta vez lo vamos a hacer dibujándolo a nuestro gusto. Cada una de las 512 bandas es una frecuencia, luego, ¡tendremos un filtro de 512 cortes! Como podemos ver en la imagen 120, hemos creado un sistema que es capaz de crear por un lado un filtrado *random* a un ruido blanco, y por otro nos permite además dibujar el contorno del filtro en la propia ventana.

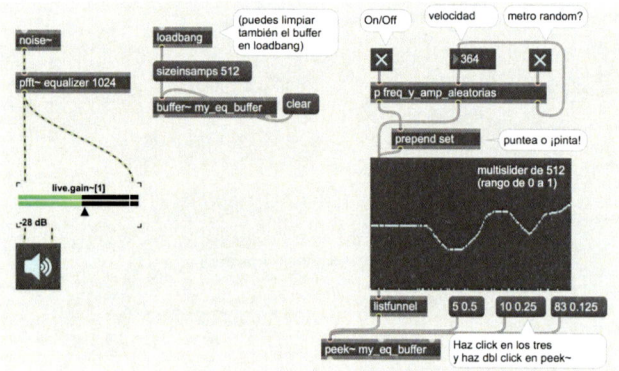

Img. 122. *Patch* FFT10.

Como vemos en la imagen 122, hemos creado un *buffer~* con una longitud de 512 *samples* (mitad del tamaño de FFT). A través del objeto *multislider* (con su propia configuración en el inspector) dibujamos el perfil deseado. A continuación, y a través del objeto *listfunnel* (que puede indexar y enviar una lista de elementos) podemos enviar la lista de estos valores al objeto *peek~*, y así dejar escrito el "perfil" de nuestro filtro en el *buffer*. Para acabar utilizaremos el objeto *index~*, que es capaz de leer los valores de un *buffer*, y así "modelar" las ganancias de cada frecuencia que entra a la multiplicación (sabemos que la tercera salida del objeto *fftin~* lleva una cuenta de los índices de las bandas analizadas).

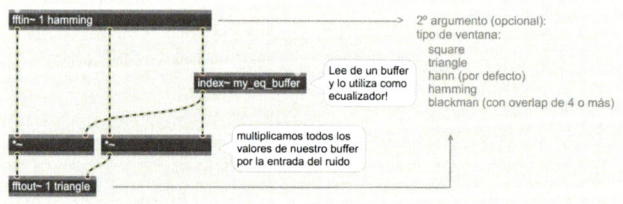

Img. 123. *Subpatch equalizer* de FFT10.

Como ya mencionamos en el ejemplo 2, podemos configurar el tipo de ventana con diferentes funciones (*square, triangle, hann – por defecto, hamming y blackman*). A parte de estas funciones, podríamos crear una función propia (por ejemplo, basada en una función coseno), que iría almacenada y leída a través de un *buffer*.

Finalmente, y como podemos ver en la imagen 124, y en un alarde creativo, hemos *randomizado* el diseño de las frecuencias *on/off* para crear una nube "puntillista" cambiante. Mediante un cálculo sencillo hemos dividido el tiempo del *metro* en dos partes, una para *on* y otra para *off*. El metrónomo también puede tener comportamiento *random* mediante un *toogle* en el *patch* principal.

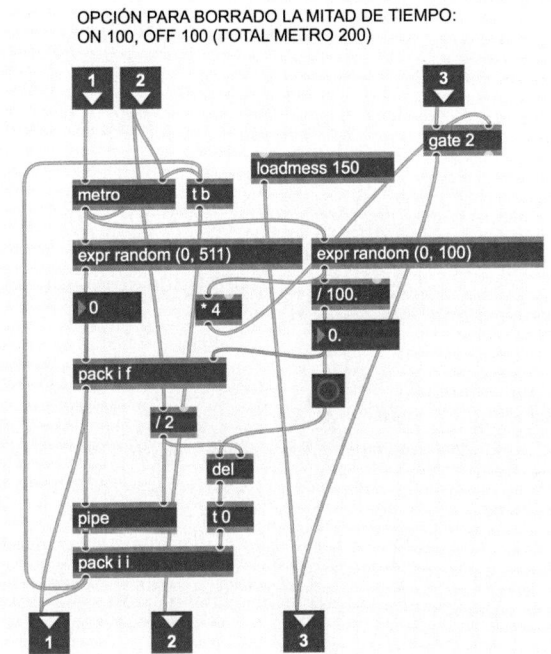

Img. 124. *Subpatch* freq_y_amp_aleatorias de FFT10.

10

En el siguiente ejemplo vamos a fabricar un selector de frecuencias en función del rango de intensidades que tenga cada una de ellas para una señal de entrada.

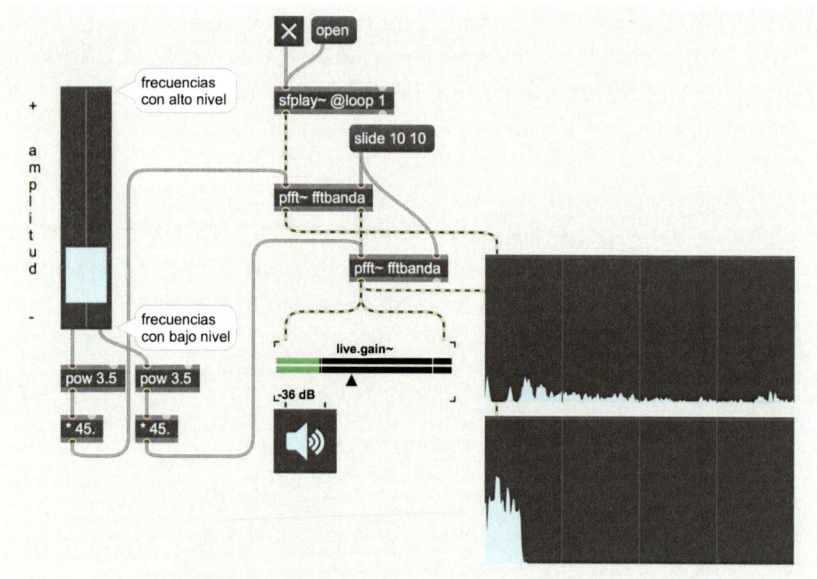

Img. 125. *Patch* FFT11.

Como vemos en la imagen 126, podemos seleccionar solamente aquellas frecuencias que tengan un cierto nivel de intensidad. Hemos utilizado el objeto *cartopol~* para operar con las frecuencias y sus intensidades.

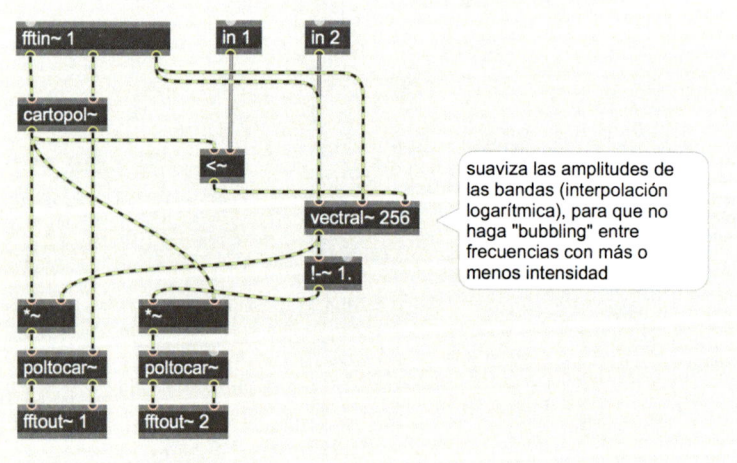

Img. 126. *Subpatch* fftbanda para *Patch* FFT11.

En este caso utilizamos una entrada de datos, *in 1,* para leer el audio entrante, y una segunda entrada, *in 2,* para mandar un mensaje *"slide 10 10"* que le indica al objeto *spectral~* el índice logarítmico para el movimiento al nuevo valor. El objeto *spectral~* nos sirve para suavizar las transiciones entre amplitudes de cada una de las bandas, evitando así el típico sonido *"bubblling"* (burbujeo) en este tipo de procesos. Al colocar dos *pfft~* iguales podemos operar en serie y seleccionar los rangos que establecemos con el objeto *rslider* (*slider* de rango). Los números que se han colocado debajo para multiplicar y elevar a una potencia son los idóneos para un audio en concreto; en cualquier caso, deberían ser modificados según diferentes necesidades.

En los casos que estamos viendo estamos realizando un cruce entre frecuencias y amplitudes. Dicho de otra manera, se aplica la envolvente espectral (volumen de cada frecuencia) de un sonido al espectro de otro. Es por esto que a veces oiremos hablar de la síntesis cruzada en lugar de FFT.

_11

En el siguiente caso vamos a crear un *patch* que nos permita hacer un cruce entre dos archivos de audio y al mismo tiempo entre sus frecuencias.

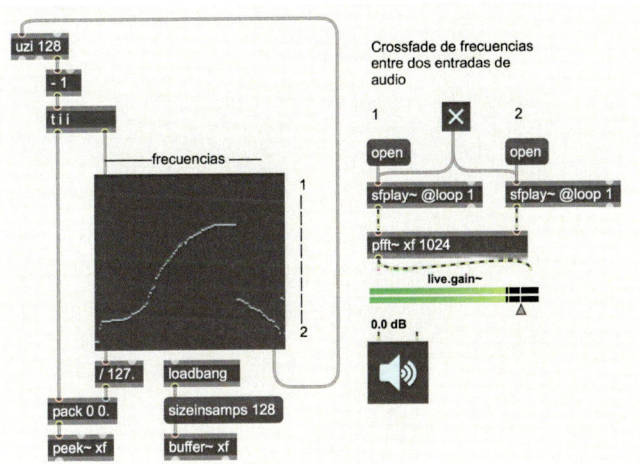

Img. 127. *Patch* FFT12.

Como vemos en la imagen 127, hemos utilizado el objeto *itable* para definir los puntos que definirán un archivo u otro en el eje vertical (y) y las frecuencias de uno u otro en el eje horizontal (x); los empaquetamos (con la ayuda del objeto *pack*) y los escribimos en el objeto *peek~* (al que debemos ponerle el mismo nombre que a un *buffer~*). Con esto podremos leer el índice de las amplitudes y de las frecuencias para procesarlas mediante síntesis FFT.

En el *subpatch "pfft~ xf 1024"* estamos definiendo mediante una resta, con el objeto *"!-~"* (es igual el "-~" pero con las entradas invertidas), la inversa del valor que entra y así *"routear"* las ganancias de las frecuencias que queremos o no multiplicar, y dejarlas por lo tanto salir por las salidas *fftout~*; una vez más leyendo el índice de cada banda con el objeto *index~*. Pongamos un ejemplo: entra un valor de amplitud de 0.8, entonces la sustracción (0.2) servirá para los dos multiplicadores de la derecha.

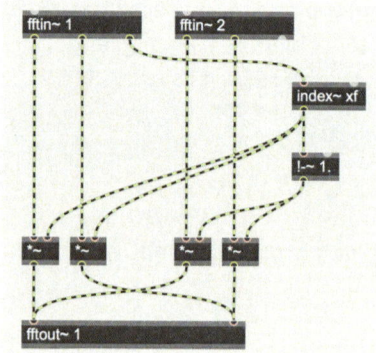

Img. 128. *Subpatch xf* para *patch* FFT12.

12

Por último, vamos a manipular la altura de un archivo de audio, esta vez con la ayuda del objeto *gizmo~*. Este objeto vive alojado en un *subpatch* de análisis FFT y se va a encargar de modificar las alturas que detecta en el análisis, haciendo las veces de un transpositor.

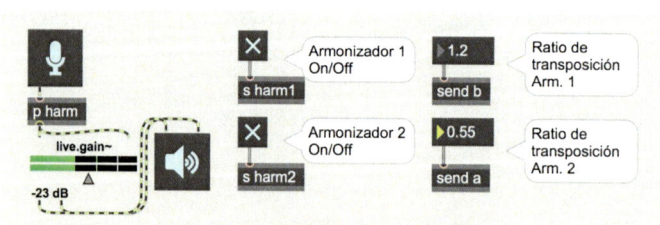

Img. 129. *Patch* FFT13.

Como vemos en el *patch* principal nos estamos comunicando con el *subpatch* mediante "s" y "r" (versiones abreviadas de los objetos *send y receive*). De este modo podemos activar o desactivar dos modificadores de altura o *pitchshifters* (dejándolos o no pasar por el objeto *gate~*). Además, podemos introducir la ratio de afinación (0.5 es octava baja, 1 es altura real, 2 es doble octava, etc.) para cada uno de los *pitchshifters*.

En la imagen 130 podemos observar cómo hemos definido dos *subpatches* iguales "*pfft~* gizmo_loadme" con 4096 bandas y un factor de *overlapping* de 4, creando así un armonizador.

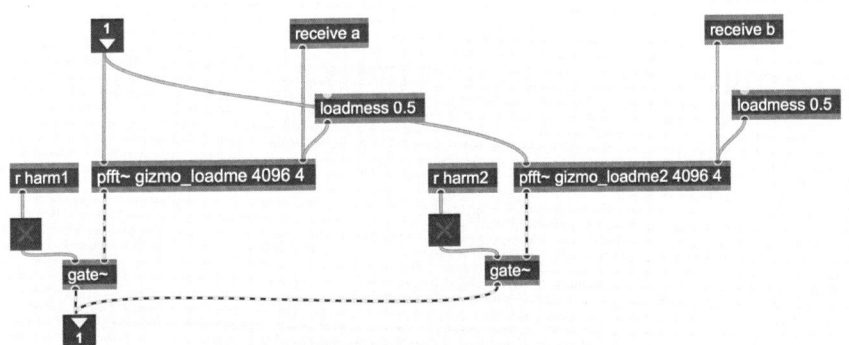

Img. 130. *Subpatch* harm en *patch* FFT13.

A continuación, vemos el interior del *subpatch "pfft~ gizmo_loadme"* que se carga de manera nativa y directamente al crear este objeto y darle este nombre (no hay que programar nada).

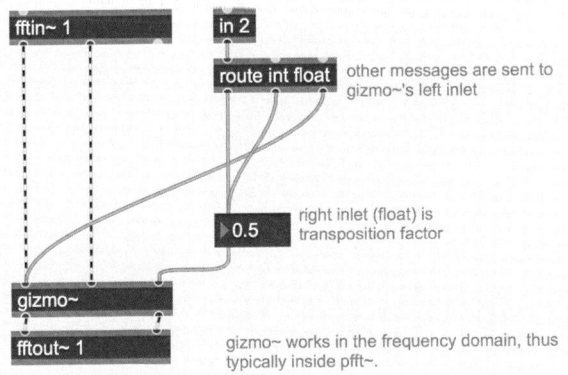

Img. 131. *Subpatch fft gizmo_loadme* para *patch* FFT13.

Dentro de este sub-*subpatch fft~* está alojado el objeto *gizmo~* y la entrada (in 2) por la que van a entrar al mismo tiempo un valor de inicio que hemos establecido en este ejemplo (*loadmess 0.5*) y la ratio que le queramos introducir después desde el *patch* principal.

Hemos creado un *subpatch pfft~glizmo_loadme 2* para operar con independencia al primero y tener dos voces diferentes. Así pues, sólo necesitamos esta segunda instancia en nuestra carpeta, ya que el *subpatch* nativo será leído en la ruta de instalación de Max MSP.

8. Retardo temporal

El retraso temporal fue siempre uno de los recursos más importantes en la manipulación del sonido desde la aparición de los primeros dispositivos electrónicos. Aunque parece no tener una relación directa con la síntesis, hay una gran parte de procesos propios de esta que requieren de su implementación: síntesis sustractiva, modelos físicos, algoritmos de reverberación, etc. Recordemos el filtro peine o *comb filter*, en el que, retrasando una señal de su copia exacta la mitad del periodo (T), podíamos cancelar una frecuencia y así obtener otras audibles a partir de un ruido blanco (capítulo 2). Así pues, dependiendo de la cantidad de retraso con la que operemos podemos hablar a priori de diferentes tipos de efectos de retardo: *slapback delay*, *flanger*, *chorus* y eco (además de algunos derivados como *multitap* y *multiband delay*, *ping-pong delay*, etc.)

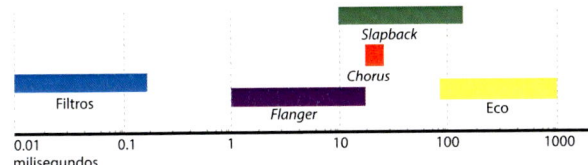

Img. 132. Horquillas temporales aproximadas de diferentes retardos.

Si la repetición de un sonido nos llega retrasado respecto del original en un intervalo aproximado de entre 15-50 milisegundos (efecto Haas) no podremos diferenciarlos; nuestra percepción auditiva los integrará en una especie de reverberación. A la señal original se le denomina *"dry"* (seca) y a la retrasada *"wet"* (mojada). La diferencia de volumen entre ambas suele denominarse *balance* o *depth* (profundidad). Si este efecto lo diseñamos en un circuito electrónico o mediante un algoritmo, podremos retroalimentar la señal para que después de su primera repetición, entre de nuevo en el efecto y nos vuelva a ofrecer sucesivas repeticiones. Este efecto se conoce como *"feedback"*, y también podrá será modulado en intensidad. De hecho, es muy importante poder manipular la intensidad del *feedback* ya que, lo que está haciendo es devolver a la entrada la señal que ya entró una vez, por lo tanto, si no la devolvemos con un coeficiente de reducción (respecto de la primera vez) se nos irá sumando y, con una entrada de micrófono, por ejemplo, terminaría por saturar el efecto a la salida. Por ejemplo, si el multiplicador está definido en 0.5 y la amplitud inicial es de 1, las repeticiones tendrán un valor de 0.5, 0.25, 0.125, etc.

Como también vimos en el capítulo 2, el llamado *tape delay* (efecto *flange)* consistía en el retraso de una señal haciéndola pasar por varios cabezales, o simplemente retrasando manualmente una de las bobinas. En aquellos casos se hacía necesaria la utilización de filtros (pasa-bajos y pasa-altos) para compensar las pérdidas de frecuencias agudas propias de la tecnología de grabación analógica. Así pues, en algunas emulaciones digitales del efecto *tape delay* aparecen filtros que permiten modificar el contenido espectral cada vez que el sonido pasa por el *feedback*.

Por último y como veremos en el capítulo 9, habría que tener en cuenta que existe una relación muy estrecha entre retraso temporal y filtrado. Como vemos en la imagen 133, al hacer pasar una señal compleja por una serie de *delays* diferentes, sumados con la señal original a la salida, se consiguen anular ciertas fases concretas de la onda (1/T_n=frecuencias), consiguiendo así un filtro específico.

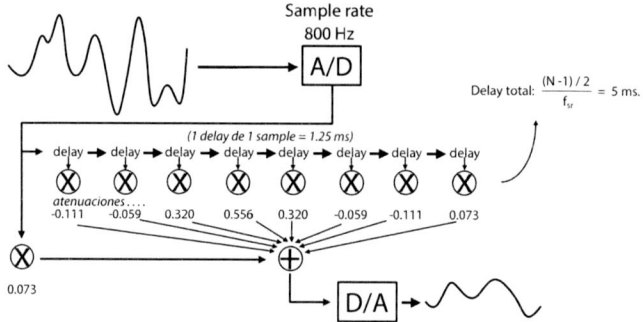

Img. 133. Filtro *low-pass FIR* de 9 coeficientes.

‾1

Para empezar, hablaremos de los objetos *tapin~* y *tapout~*. Ambos van a ir siempre asociados, de hecho, están conectados por un simbólico cable gris, y nos van a permitir la manipulación temporal en Max MSP. El primero se va a encargar de "copiar" (escribir, guardar) la información de audio entrante (por un tiempo configurable) y así poder operar en una línea de retraso; y el segundo se va a encargar de leer aquello que se haya guardado (escrito, copiado) con el retraso que le asignemos.

El conocido como *slap delay* consiste en la repetición corta (entre 10 y 120 ms) y única (sin *feedback*) de la señal de entrada. Si la configuramos en *stereo* tendremos un rebote (con el que podríamos sincronizarnos para obtener repeticiones rítmicas). En la imagen 134 vemos el objeto *click~*, que nos permite emitir un pulso corto. Como podemos observar, hemos utilizado los dos objetos *tapin~* y *tapout~*. Al primero le hemos dado un almacenaje máximo de 1000 ms., y al segundo le hemos establecido un retraso de 140 ms. Al pulsar sobre el *bang* oiremos por el canal izquierdo la señal seca y por el canal derecho su repetición.

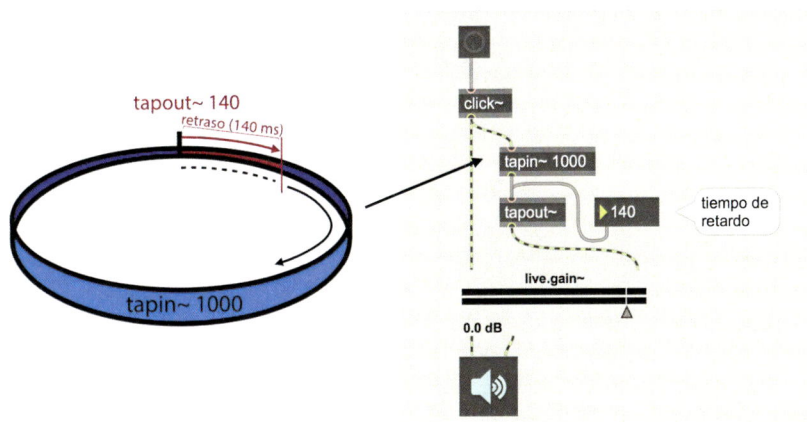

Img. 134. *Buffer* circular y *Patch Delay1*.

Es importante saber que estos objetos trabajan juntos en un *buffer* circular; es decir, *tapin~* crea una memoria circular para almacenar una señal, pero necesita tener unas dimensiones (en milisegundos). Si no la tiene se establece por defecto en 100 ms. Cuando *tapout~* va a operar, lee de este *buffer* circular con el retraso que le asignemos (también en milisegundos). Por lo tanto, y especialmente en nuestro ejemplo, si establecemos un retraso para *tapout~* mayor que nuestro *buffer* (valor de *tapin~*) no tendremos sonido alguno, ya que cuando le toca leer ya se habrá borrado.

 2

En el siguiente ejemplo se ha añadido el *feedback* o retroalimentación (recordemos que debe ser un valor de entre 0.1 y 0.9 si queremos un desvanecimiento progresivo de nuestro sonido). En caso de establecer la multiplicación por 1, tendremos un *loop* infinito.

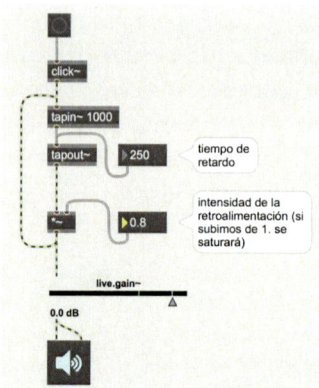

Img. 135. *Patch Delay2.*

3

En el siguiente ejemplo vamos a *randomizar* el tiempo de retraso de varios *delays.* En este caso, dentro de cada *subpatch* tendremos los mismos parámetros que el ejemplo anterior, con la diferencia de que interpolamos cada valor diferente de *tapout~* mediante el objeto *line~* (con una rampa fija de 200 ms).

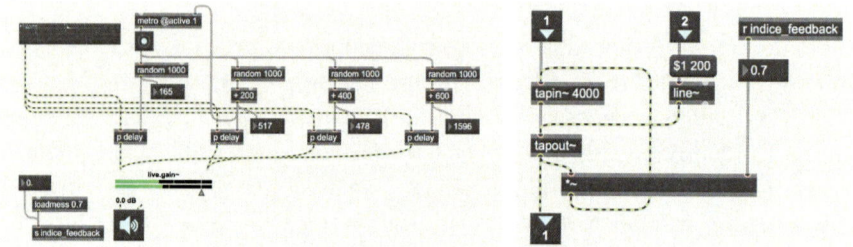

Img. 136. *Patch* y *subpatch Delay3.*

4

Como vimos en el capítulo 2, también podemos operar con *samples*. El objeto *delay~* nos permite hacer lo mismo que en el ejemplo anterior, pero definiendo un número de *samples* a retardar (debemos verificar en este caso la frecuencia de muestreo en la que estamos trabajando para tenerla de referencia). El mismo objeto nos permite trabajar con parámetros más cómodos como tiempo (en ms), o figuras musicales (configurable en la ventana del *transport,* dentro del menú "Extras" o mediante el propio objeto *transport*).

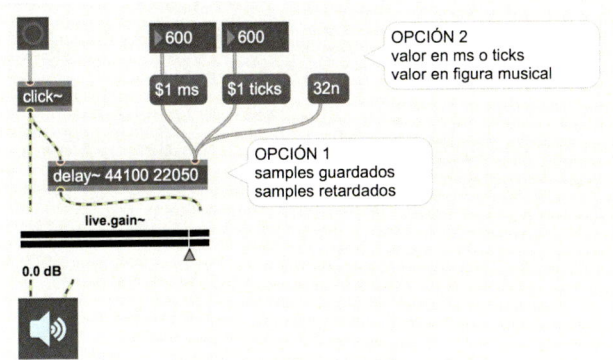

Img. 137. *Patch Delay4.*

El funcionamiento de una línea de retraso con los objetos *tapin~/tapout~* es diferente al que ofrece el objeto *delay~*. Veremos más adelante algunos detalles diferenciadores.

Una de las limitaciones de los objetos *tapin~* y *tapout~* es que no pueden operar con valores más pequeños que el *Signal Vector Size* (dentro del menú *Options*). Este parámetro representa el número de *samples* que el *patch* procesará al mismo tiempo, como si se tratara de un bloque (vector). De este modo, a mayor vector menor coste de computacional, sin embargo, menos precisión para trabajar con retrasos. Por otro lado, el I/O *Vector Size* es el encargado de establecer la cantidad de *samples* – en bloques (vector), que entran o salen de nuestra *interface* de audio a Max MSP. La diferencia entre este parámetro y el vector I/O es que el *Signal Vector Size* no tiene efectos en la

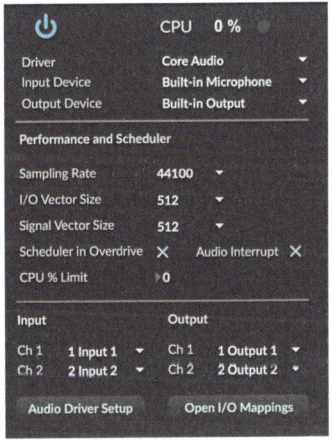

Img. 138. Ventana Audio Status.

latencia y lógicamente no puede establecerse en valores mayores que el que tenga definido el I/O. El valor que tenga puede depender de nuestra tarjeta de audio (algunas tienen un mínimo de 512 *samples* de latencia) y en algunos casos puede darnos clics indeseados durante algunos procesos. Una de las consecuencias de establecer el *SVS* en 1 *sample* será que el objeto *scope~* no nos mostrará nada. El mínimo para que funcione su *display* es de 2.

_5_

Como vemos en el siguiente ejemplo, el objeto *tapout~* nos permite configurar varios retrasos al mismo tiempo, utilizando varias entradas al objeto. Para conseguir los 4 valores *random* que vemos en la imagen 139, hemos utilizado el objeto *vexpr*, que implementa el lenguaje C y permite operar matemáticamente con listas de números.

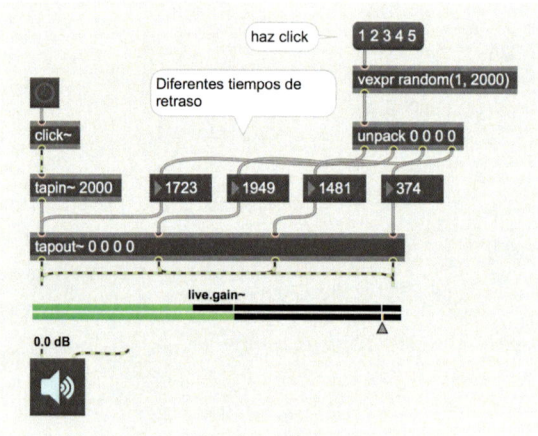

Img. 139. *Patch Delay5.*

_6_

En la imagen 140 vemos como, haciendo uso del objeto *multislider*, podemos definir de una manera gráfica y más intuitiva cada una de las líneas retrasadas (tendremos que configurar adecuadamente los rangos del objeto *multislider*).

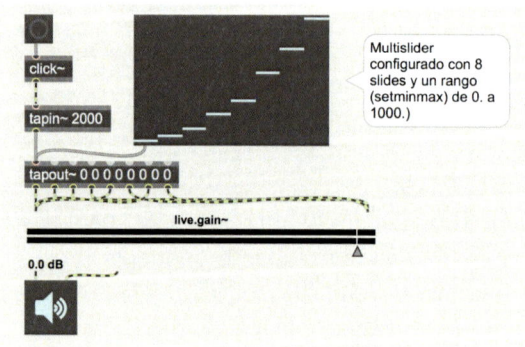

Img. 140. *Patch Delay6.*

7

En el siguiente ejemplo vamos a definir gráficamente el timbre de nuestro "*click*". Por otro lado, utilizaremos el objeto *function* para manipular el tiempo de retraso del objeto *tapout~*. De este modo tendremos un retraso variable. Es necesario establecer los rangos máximos y mínimos, así como el tiempo en el que transcurren los puntos que pintamos en el objeto *function* (*setdomain*).

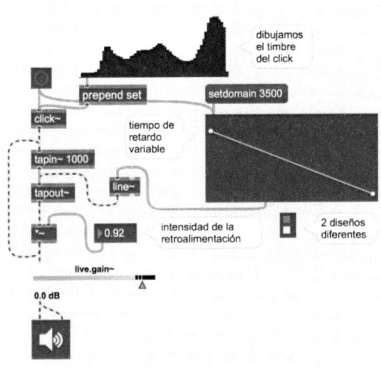

Img. 141. *Patch Delay7.*

8

Vamos a diseñar un sistema similar con varias instancias y de este modo poder controlar cada una de ellas. Utilizaremos el objeto *poly~*. Para poder comunicarnos con cada instancia debemos enviar los datos del *multislider* a través del objeto *listfunnel*, que permite indexar el nº de *slider* y su correspondiente valor (el argumento 1 sirve para que empiece con 1). A través de una caja de mensaje mandamos a cada instancia ($1) su valor ($2).

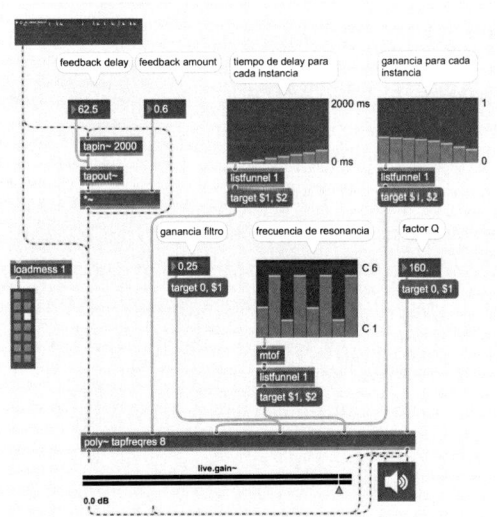

Img. 142. *Patch Delay8.*

El funcionamiento del objeto *listfunnel* es dual, y tendremos que pensar que está enviando un "paquete" con dos elementos. Por último, hemos implementado un filtro resonante para filtrar de modo diferente el retraso de cada instancia, con controles de la frecuencia de resonancia, ganancia del filtro y factor Q (estos dos últimos parámetros se han planteado de manera global para todas las instancias, argumento *target 0, $1*).

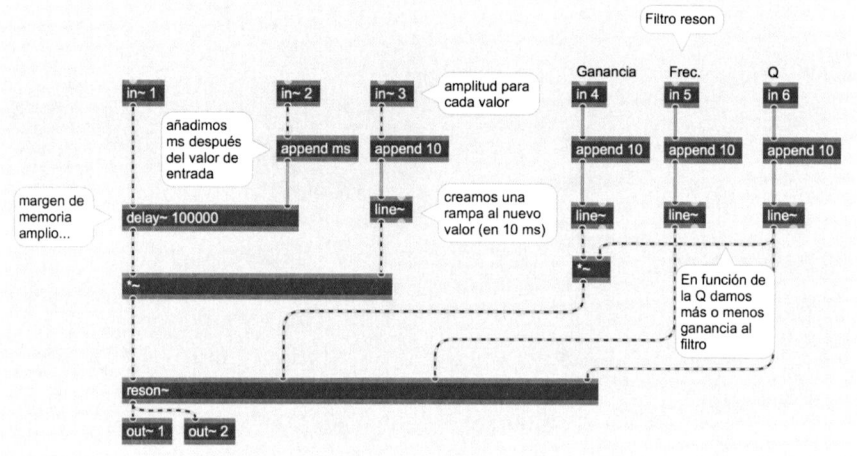

Img. 143. *Poly~* del *patch Delay8*.

9

Como dijimos en ejemplo 2 de este capítulo, la gestión de la ganancia del *feedback* nos podría permitir la multiplicación por 1 de cualquier señal y por tanto la generación de un *loop* infinito. Mediante la sincronización de las duraciones de los objetos *tapin~*, *tapout~* y del *feedback*, podríamos diseñar un sistema que almacene un fragmento de audio y lo reproduzca en bucle. Para conseguirlo y como vemos en la imagen 144, estamos creando dos envolventes opuestas, una del tipo *fadein-fadeout* (trapezoidal) para almacenar información en el objeto *tapin~* y otra, tipo *fadeout-fadein*, para que durante el "almacenaje" de nueva información, no se devuelva el *feedback* antiguo a la línea de retardo (en caso contrario tendríamos una acumulación de *feedbacks*). La única porción de audio que le introduciremos al *tapin~* será la que delimitemos a través de la caja de número decimal, valor que se insertará en la envolvente dinámica conectada al objeto *line~*.

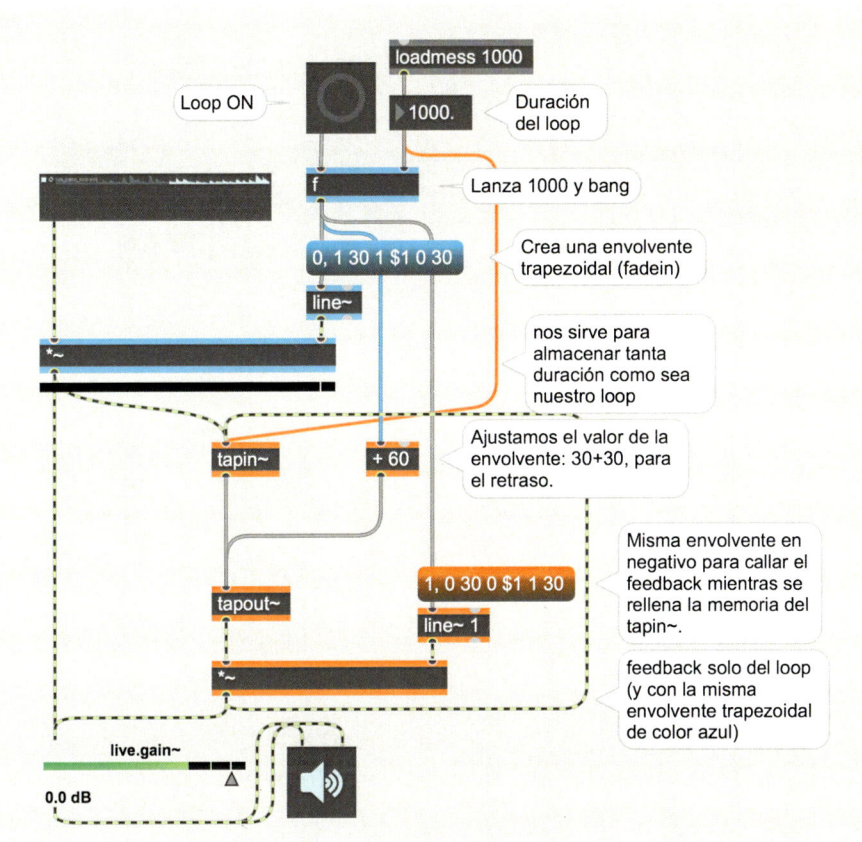

Img. 144. *Patch Delay9.*

Si elimináramos el cable que baja a la caja de mensaje naranja (1, 0 30 $1 1 30) tendríamos el conocido *overdubbing* o apilamiento de capas (con acumulación infinita de *loops*), ya que la información que circula por el *feedback* nunca se limpiaría.

Propongamos un ejercicio con este mismo *patch:* configurarlo para que acumule varios *loops* y de diferente duración. Quizás podríamos construir una máquina virtual similar al *Electro-Harmonix 2880 Super Multi-Track Looper*, el *Line 6 DL4 Delay Guitar Effects Pedal* o el RC-300 de Boss, totalmente configurable ;).

10

En el siguiente ejemplo vamos a hacer la penúltima pirueta con los objetos *tapin~* y *tapout~;* construiremos un *ping-pong delay.* Como vemos en la imagen 145, al mandar de manera cruzada la señal retrasada izquierda al canal derecho y viceversa conseguiremos este efecto de balanceo entre canales. Hemos usado una forma de onda cuadrada y un generador de frecuencias aleatorio mediante el objeto *expr* y el atributo *random.* Para cada ataque se ha definido una pequeña envolvente con la ayuda del objeto *line~.*

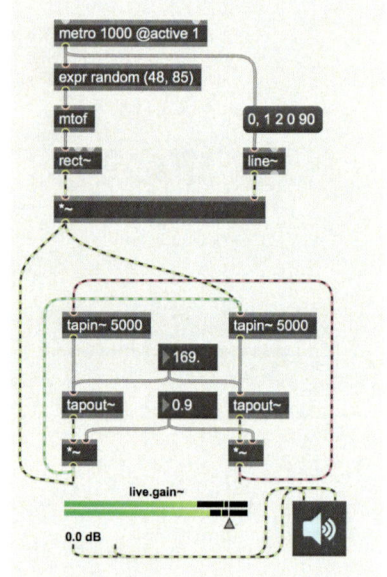

Img. 145. *Patch Delay10.*

11

En este libro no vamos a abordar la explicación y el diseño de *reverbs,* dado que requeriría un estudio profundo de la acústica de salas y su consecuente cálculo matemático mediante algoritmos y procesos en Max MSP. Sin embargo, sí que podemos acercarnos al diseño de una sencilla *reverb* mediante el uso de los objetos *tapin~* y *tapout~.* A modo muy reducido, una *reverb* funciona mediante múltiples retrasos de la señal (resultado de los diferentes rebotes de la fuente de sonido en paredes, techos, suelos, etc…), sus coeficientes de absorción en diferentes frecuencias (por diferentes materiales absorbentes) y la pérdida irregular de ganancia de estos retrasos (absorción del aire, frecuencia y direccionalidad, etc.). El ejemplo siguiente está basado en el *objeto rev4~* originario de la librería *Jimmies,* desarrollada durante la década de los 90 por Zack Settel.

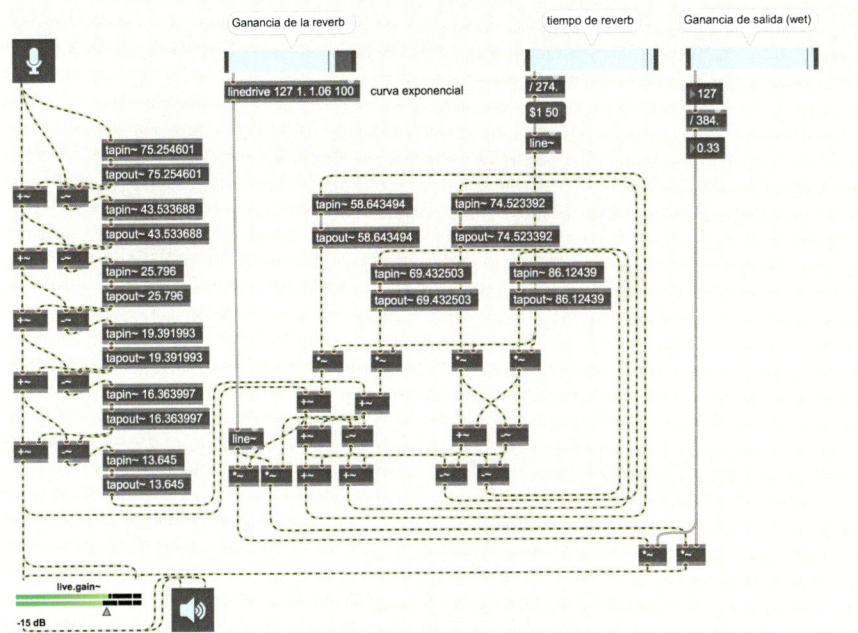

Img. 146. *Patch Delay11.*

Al igual que hemos mencionado anteriormente, la ecualización es algo fundamental en la emulación de espacios reverberantes, ya que sabemos que las frecuencias más agudas son más fáciles de absorber por diversos materiales que las graves. Además, estamos acostumbrados a escuchar menos energía de las altas frecuencias en los decaimientos; en parte porque son mucho más direccionales que las graves y, en recintos muy grandes, el aire contribuye con su absorción.

Img. 147. *Plugin Reinassance Reverberator* de Waves.

Otras opciones más complejas y precisas para la emulación de la reverberación de una sala pasarían por el diseño de modelos físicos de espacios concretos, o por convolución. La reverberación por convolución utiliza respuestas a impulsos, que son muestras de audio pregrabadas de la respuesta de las reflexiones que genera un entorno específico, ya sea físico o virtual, a simular posteriormente. Las señales procesadas con este tipo de *reverb* sonarán como si la fuente de sonido se encontrase realmente en el entorno simulado.

___12___

El *flanging* es uno de los recursos de retardo temporal más conocido. Consiste en variar alternamente la duración del retardo de una manera oscilante. Ya podemos imaginar que nuestro aliado para esta oscilación va a ser el objeto *cycle~*. Tal y como hemos hablado anteriormente, debemos configurar adecuadamente el parámetro de *Signal Vector Size,* ya que posiblemente operemos con valores de retardo muy pequeños.

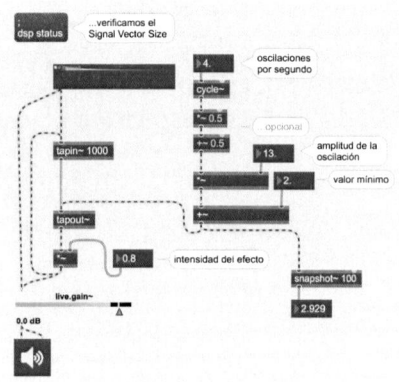

Img. 148. *Patch Delay12.*

En primer lugar, hemos interpuesto una operación simple (opcional) para convertir los valores bipolares del objeto *cycle~* en unipolares (que no bajen de 0); de este modo tendremos un valor mínimo controlable (0).

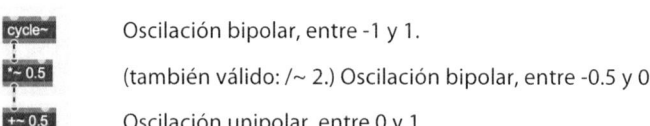

cycle~   Oscilación bipolar, entre -1 y 1.

*~ 0.5   (también válido: /~ 2.) Oscilación bipolar, entre -0.5 y 0.5

+~ 0.5   Oscilación unipolar, entre 0 y 1.

Como vemos en la imagen 149, estamos definiendo la profundidad de oscilación o rizado (*flange*) con el factor de multiplicación, y el *offset* o valor mínimo con el factor del sumatorio. Ambos parámetros producirán gracias al *feedback,* una oscilación continua de altura a la velocidad de nuestro LFO (*cycle~*).

Por otro lado, si vamos incrementando la frecuencia del LFO vamos oyendo una modulación y "desafinación" significativa del sonido original. Podríamos establecer entonces un condicionante; es decir, si subimos el valor de oscilación deberíamos bajar proporcionalmente la amplitud.

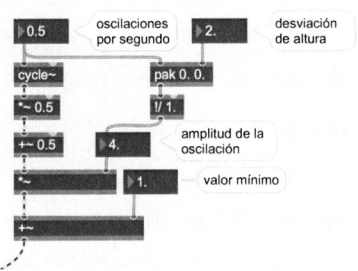

Img. 149. Ratio oscilación-amplitud.

13

El efecto *chorus* es básicamente lo mismo que el efecto *flanging*: un *delay* con tiempo variable. Las diferencias son: la elección de los parámetros (el *delay* en este caso suele ser mayor), el tipo de LFO (usualmente un generador aleatorio, *noise*), la ausencia de *feedback* y el uso de varias líneas de *delay* simultáneas. En este caso no hemos "unipolarizado" nuestro LFO. Como vemos, el LFO ahora es un generador aleatorio de banda limitada *rand~*.

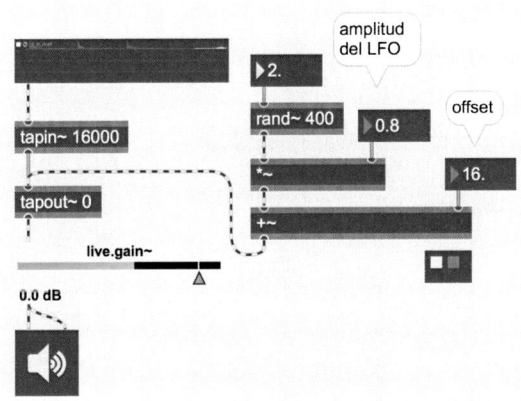

Img. 150. *Patch Delay13.*

En la imagen 150 vemos como tendremos unos valores que oscilarán entre 16.8 y 15.2. En el siguiente paso tenemos dos voces y como dijimos anteriormente, aprovechamos las múltiples entradas y salidas que puede tener el objeto *tapout~*.

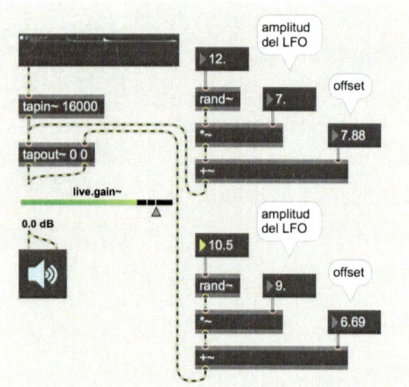

Img. 151. *Patch Delay13b.*

Por último, crearemos 4 voces diferentes, eso sí, debemos colocar un control de intensidad de nuestras voces para que no terminen sonando con más volumen que la señal original (al menos por esta vez ;).

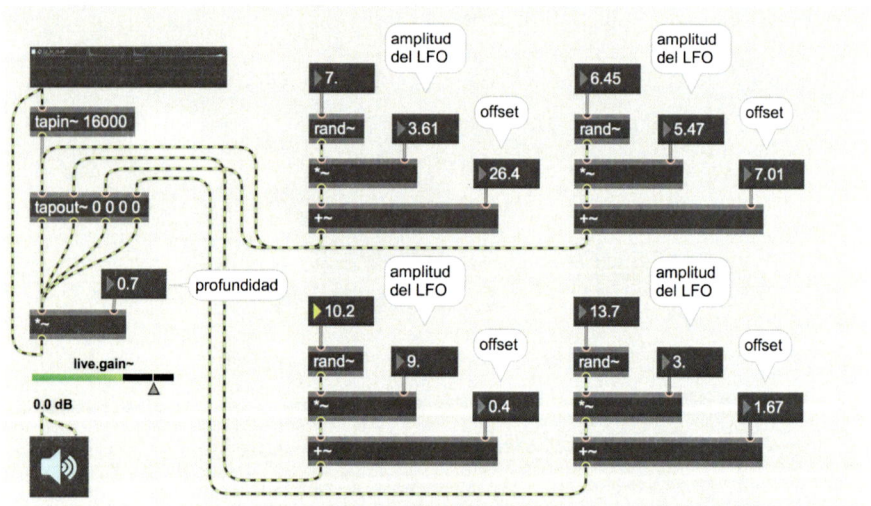

Img. 152. *Patch Delay13c.*

14

Si a todos estos recursos les sumamos las cancelaciones propias del efecto peine (objeto *comb~*) y otros tipos de filtros como el *allpass~*, podemos construir sistemas muy complejos basados en retardos y cancelaciones. En la imagen 153 vemos otro efecto de cancelación mediante el uso de los objetos *filtercoeff~* y *biquad~*; en este caso tenemos un efecto *phasing,* en el que podemos definir la frecuencia de cancelación y la Q o ancho de la banda rechazada.

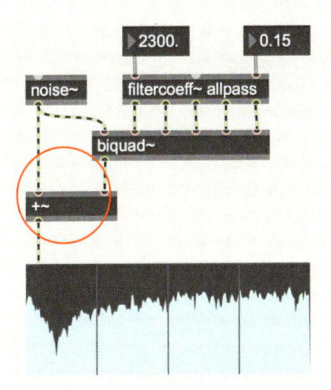

Img. 153. Efecto *phasing.*

La diferencia entre el efecto *flanger* (que vimos en el capítulo 2) y el *phasing* es que, en el primero se cancela la frecuencia fundamental y sus armónicos impares, y en el segundo se cancela solamente una frecuencia (por la inversión específica de su fase), pero en ambos ocurre por la **suma** de las dos señales (original y retardada). Por otro lado, y como hemos visto en el ejemplo 12 de este capítulo, tendríamos el *flanging* que surge por medio de la variación oscilante del tiempo de una línea de retraso con *feedback.*

15

Otra de las aplicaciones que podemos diseñar aprovechando las virtudes del retardo temporal es un modificador de altura, transpositor o *pitchshifter.* En función de la variación del retraso podemos obtener variaciones de altura durante un tiempo determinado. En el ejemplo siguiente podemos ver como al pulsar sobre las distintas cajas de mensaje oímos el audio transportado de diferente manera.

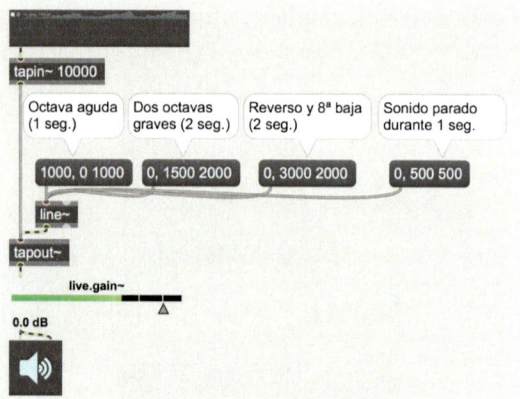

Img. 154. *Patch Delay14.*

Según la velocidad variable de retraso y la velocidad en la lectura obtendremos diferentes afinaciones. ¿Cómo podemos explicarlo? Pensemos en nuestro *tapin~* como un "escritor" de *samples*, y en *tapout~* como el "lector" de los *samples* escritos. Si fueran actuando al mismo tiempo no oiríamos nada. Sin embargo, si el lector fuera ralentizando gradualmente su lectura respecto a la velocidad del escritor tendríamos una alteración en la longitud de onda de los datos guardados y por lo tanto un cambio en la frecuencia. El proceso está basado en  el efecto *doppler*, que no es otra cosa que "estirar" o "comprimir" la longitud de una onda, haciendo que tenga menos o más ciclos por segundo y por tanto bajando o subiendo la frecuencia que percibe el oyente. Con la velocidad del vehículo se incrementa o disminuye la velocidad natural de propagación del sonido en el aire (recordemos que la velocidad de propagación del sonido en el aire es determinante en el cálculo de la frecuencia de un sonido: $f = v / \lambda$).

La reproducción en reverso la podemos explicar con la analogía del coche al que adelantamos; nos parece que anda hacia atrás. En este caso, la velocidad de retraso variable es superior a la velocidad de lectura (0, 3000 **2000**) y provocará como hemos dicho la reproducción reversa desde el último *sample* del *buffer*.

En el siguiente ejemplo, para controlar la "desaceleración" o "aceleración" progresiva en la lectura de los datos guardados, vamos a usar el objeto *phasor~*, que nos devuelve valores continuos de 0. a 1. Una vez multiplicados por 100, como vemos a continuación, tendremos una "desaceleración" de 0 a 100 ms. En caso de establecer una lectura de 1 a 0 (con el *phasor~* en negativo) obtendremos una "aceleración" y consecuente subida de frecuencia.

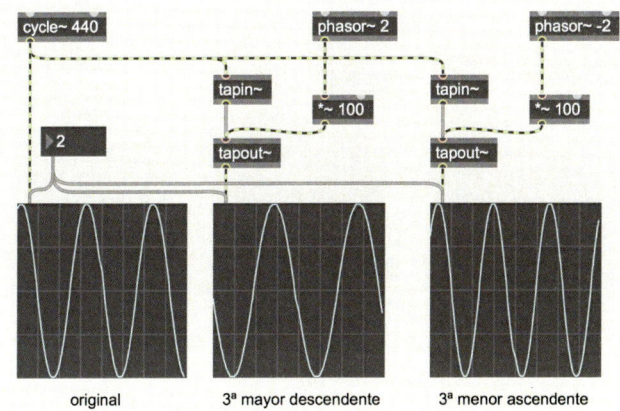

Img. 155. *Patch Delay14b.*

Para entender este proceso un poco mejor digamos que, si tengo un libro que se escribe en 100 ms., y yo lo leo en 100 ms. sincronizado con el escritor, no voy a leer nada. En este caso: 100 ms. = 1/10 seg. = 10 Hz. (*phasor~* y *tapin~* están sincronizados). Si activamos el audio del ejemplo siguiente solamente vamos a oír clics (las bajadas desde 1 a 0 del *phasor~*).

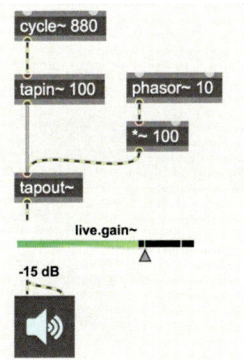

Img. 156. *Patch Delay14c.*

Así pues, si quisiéramos transportar el sonido 2 octavas abajo, ¿qué frecuencia debería tener el *phasor~*? El valor para una reducción de 2 octavas es de 0.25 (1/2 es una octava, 1/4 son dos octavas, etc.). La velocidad de reproducción tiene que ser de 1 – 0.25 = 0.75. Si sabemos que la velocidad en este ejemplo es de 10 Hz., 0.75 debería ser igual a 7.5 Hz.

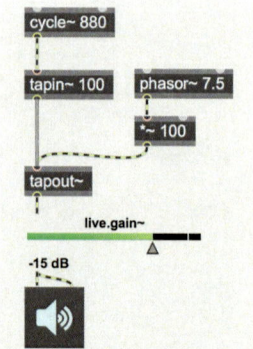

Img. 157. *Patch Delay14d.*

Para calcular las frecuencias que se obtienen diremos que: **Frec** $_{salida}$ = **Frec** $_{entrada}$ * (1 – **Phasor**$_{frec.}$ * (dw) / 1000) – donde dw es la ventana de *delay* en la que operamos (en el

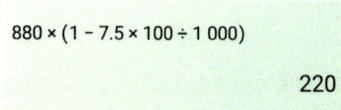

ejemplo anterior es 100). Cuando el *phasor~* es negativo tendremos una trasposición ascendente.

En la imagen 158 vemos el cálculo que se puede insertar en el *patch* para obtener directamente una transposición en valores de ratio a partir de un número de semitonos.

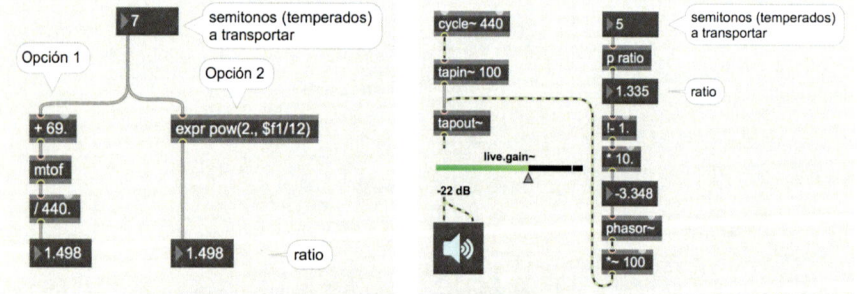

Img. 158. *Patch* semitono-ratio y *patch Delay14e.*

En el ejemplo siguiente vemos como nuestro *phasor~* recorre 4 veces por segundo los valores de 0 a 100. Según nuestra fórmula obtendríamos un desplazamiento de altura de – 0.6, con lo que transportaríamos una frecuencia de 440 Hz. a 264 Hz. Como vemos, estamos oyendo cuatro clics por segundo (cada vez que el *phasor~* salta de 100 a 0). Con la ayuda de la operación coseno podemos transformar estas rampas abruptas en otras más suaves (como vemos en el ejemplo siguiente, trasladamos los valores de 0 a 1 a -0.5 a 0.5, escalamos los valores a la mitad: -0.25 a 0.25 y aplicamos la función coseno para que los valores vayan de 0 a 1 y a 0 de manera "suavizada".

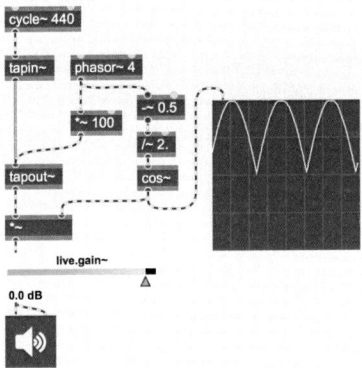

Img. 159. *Patch Delay14f.*

Aún debemos solucionar estas oscilaciones de la intensidad. Como vemos en la imagen 160, si vamos añadiendo rampas con fases desplazadas podríamos ir suavizando este problema, sin embargo, no va a ser la solución más recomendable.

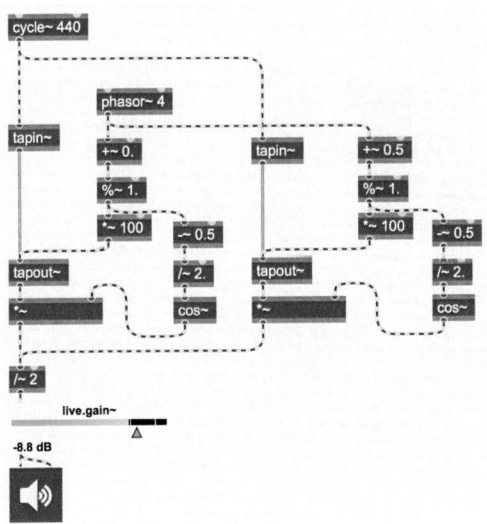

Img. 160. *Patch Delay14g.*

En el *patch* 14g hemos utilizado un mismo *phasor~* para controlar tanto el *tapout~* como la ganancia, y para conseguirlo lo hemos pasado por el objeto %~, de este modo siempre tendremos valores decimales de 0 a 1 (que es lo que necesitamos para el volumen de salida). Sin embargo, tendríamos que ir sumando muchas instancias para conseguir suavizar este efecto.

La mejor manera es usar un oscilador bipolar como gestor de la intensidad (*cycle~*). Si utilizamos dos iguales y uno tiene la fase desplazada en 0.5, conseguimos establecer una ganancia continua y estable, eso sí, necesitamos dos instancias iguales para el *tapout~*.

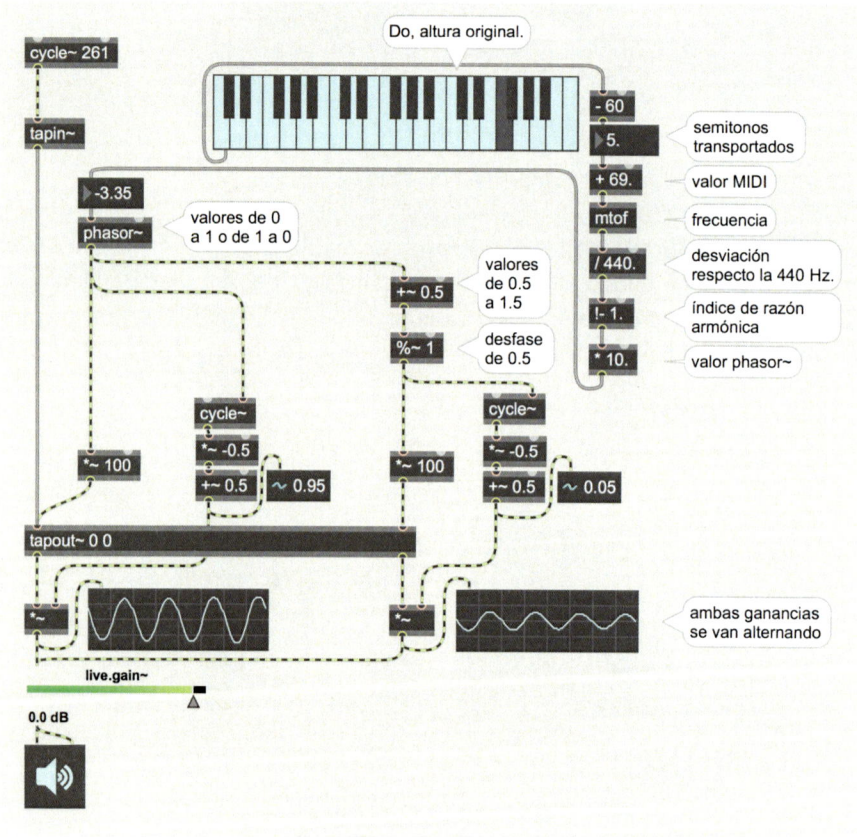

Img. 161. *Patch Delay14h.*

16

Como vimos anteriormente, la transposición por retardo se obtiene bajo el mismo principio que el efecto *doppler*. Además, el funcionamiento de los objetos *tapin~* y *tapout~* está basado en las dos bobinas de los magnetófonos, la que escribe y la que lee. Pero lo más importante es que este comportamiento viene del mundo analógico, y por tanto los datos leídos con un retraso cambiante son interpolados, y de aquí que tengamos el símil sonoro con el efecto *doppler* (se "estira" o se "estrecha" la longitud de onda). Sin embargo, ¿podríamos eliminar esta interpolación, que es la responsable del cambio de afinación, y conseguir una aceleración o ralentización sin cambio de afinación? Sí, y lo vamos a hacer destruyendo la mencionada interpolación. ¿Cómo? Haciendo que entre un dato y otro haya un "vacío" y el proceso no sepa qué pasa en medio. Alternando los datos retrasados a dos líneas de *tapout~* diferentes podemos ir cerrando o abriendo el acceso a los índices de retraso, de modo que el objeto *tapout~* no puede interpolar. Desplazando el *slider* superior (tiene un rango establecido en su *inspector* de entre 50 y 2000) hacia la derecha y la izquierda (mientras suena el audio), podemos acelerar o ralentizar respectivamente la reproducción de la señal de audio.

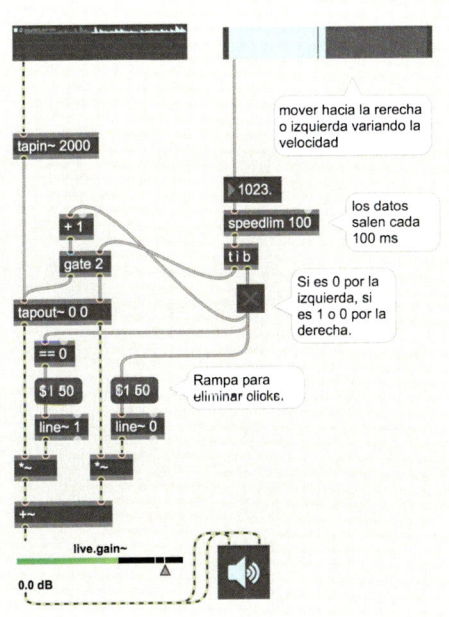

Img. 162. *Patch Delay15*.

Si queremos comprender mejor lo que está pasado os animo a pulsar de manera manual en el *toogle* central después de manipular es *slider*. Aunque siempre oigamos un solo audio, en realidad estamos jugando con dos, cada uno con un retardo almacenado diferente.

Este recurso tendría un planteamiento diferente con el objeto *delay~*, ya que su funcionamiento es distinto; en lugar de "mover" el cabezal de lectura (e interpolar los datos entre un *delay* y otro), crea un *crossfade* entre cada valor de *delay* (definible en el 2º argumento del objeto). Con esto no existe modificación de la longitud de onda (producto de aquella simulación analógica de la cinta magnética), sino el uso de dos cabezas reproductoras alternas (tal y como hemos simulado en el ejemplo anterior). Por otro lado, el objeto *delay~* no permite el *feedback*, así pues, si quisiéramos utilizarlo tendríamos que considerar por ejemplo el uso del objeto *comb~*.

17

Por último, habría que mencionar el objeto *freqshift~*, un *frequency shifter*, que no un *pitch shifter*. Este objeto está diseñado con el propósito de modificar la altura, sin embargo, tiene una pega: suma el índice de transposición que queramos (en hercios) a todo el espectro armónico de la señal entrante por igual. Como vemos en la imagen 163, una señal compleja tendría sus armónicos correspondientes (además de otros componentes inarmónicos). Si sumamos 200 hercios deberíamos tener este incremento solamente en la fundamental, ya que las frecuencias de cada armónico se establecen a partir de la ratio con aquella (x2, x3, x4, etc.). Por el contrario, el objeto *freqshift~* añade los 200 hercios a todos los componentes del espectro armónico, destruyendo por tanto la "coherencia" de ratios que necesita nuestro oído para reconocer un timbre natural.

ORIGINAL		TRANSPORTADA	ORIGINAL	+ freqshift~	FALSEADA
...		...	...	...	...
1760 Hz.		(x4) 2560 Hz.	1760 Hz.	+200 Hz. =	(3.063) 1960 Hz.
1320 Hz.		(x3) 1920 Hz.	1320 Hz.	+200 Hz. =	(x2.375) 1520 Hz.
880 Hz.		(x2)1280 Hz.	880 Hz.	+200 Hz. =	(x1.688) 1080 Hz.
440 Hz.	+200 Hz. =	640 Hz.	440 Hz.	+200 Hz. =	640 Hz.

Img. 163. Comparativa entre incremento armónico y constante.

Además de esto, su funcionamiento está basado en la creación de bandas laterales (*sidebands*) – ya que usa la modulación de amplitud para operar, con lo cual vamos a tener un timbre muy parecido a la modulación en anillo.

freqshift~

Time-domain frequency shifter

freqshift~ is a time-domain frequency shifter (also known as a single-sideband ring modulator).

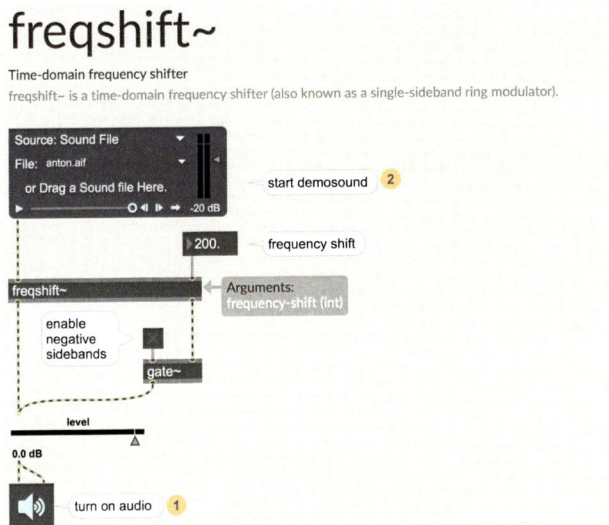

Img. 164. *Help* de *freqshift~*.

9. Modelos físicos

Si analizáramos las particularidades físicas y matemáticas que intervienen en la producción del sonido en un tambor, observaríamos que existen fórmulas para definir el comportamiento del material del parche, la física del sonido en una membrana bidimensional, las resonancias del cuerpo cilíndrico del tambor, las condiciones en los bordones, el tipo de material de la baqueta, la fuerza del golpeo, etc. Este tipo de metodología de análisis matemático y algorítmico, e implementación en un sistema electrónico (analógico o digital), será la que definirá el diseño de modelos físicos. En la imagen 165 vemos el primer sintetizador disponible comercialmente que utilizaba esta tecnología de modelado físico.

Img. 165. Sintetizador Yamaha VL1

Alex Karplus y Kevin Strong fueron los responsables, durante los primeros años de la década de los 80, de formular uno de los algoritmos más famosos en el diseño de modelos físicos. El algoritmo Karplus-Strong tiene un funcionamiento muy sencillo: se introduce una breve muestra de ruido en un *buffer* de memoria, que será re-introducida en un *loop* y filtrada en cada repetición. La longitud del *buffer* determinará la frecuencia del sonido resultante (T = 1/f), consiguiendo sonidos muy veraces de cuerdas punteadas y diferentes tipos de sonidos percusivos.

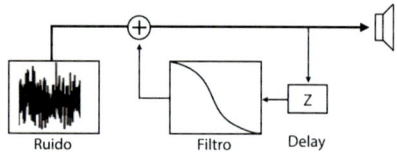

Img. 166. Esquema reducido del algoritmo Karplus-Strong.

El primer algoritmo que Karplus y Strong diseñaron tenía un funcionamiento algo más optimizado que el que vemos en la imagen 166, de modo que facilitaba la implementación en el limitado *hardware* de los microcomputadores de los años 80. El filtrado se realizaba mediante el *delay* de 1 *sample*; cada vez que la tabla de onda se leía (después de retrasar un valor), se dividían los valores entre 2 y se sumaban (cálculo de la media), y el proceso volvía a empezar (en *loop*). Como vimos en el capítulo anterior (imagen 133), mediante este proceso se consigue un filtro *lowpass* para una tabla de onda.

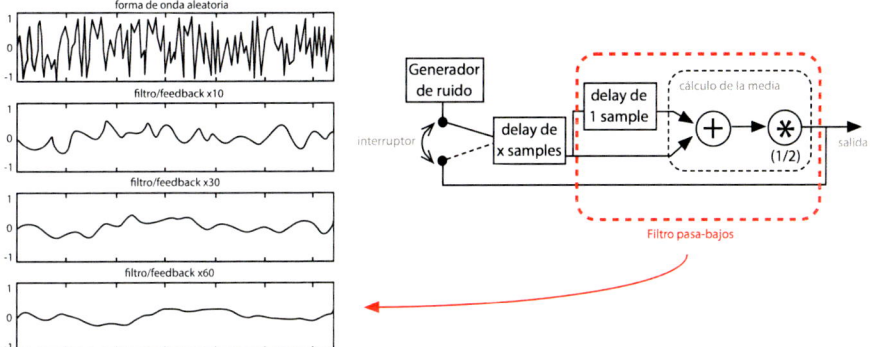

Img. 167. Ruido filtrado 10, 30 y 60 veces por el retardo de 1 *sample* y esquema del algoritmo con *delay* como filtro pasa-bajos.

En las emulaciones que haremos en Max MSP podremos utilizar filtros simples (*onepole~* o *biquad~*), cosa que hará más intuitivo el diseño de timbres.

Antes de seguir tenemos que recordar que para poder operar con retardos mínimos en Max MSP tendremos que ajustar el valor del *Signal Vector Size* al valor apropiado. Recordemos que el *delay* mínimo que se puede crear con los objetos *tapin~* y *tapout~* es igual a la longitud del *SVS*. Por ejemplo: si con una frecuencia de muestreo de 44100 lo establecemos en 16 *samples*, nos permite tener un *delay* mínimo de 0.36 milisegundos (16 / 44100 = 0.00036 segundos), y la frecuencia máxima que conseguiríamos sería de (1 / 0.00036) = 2756 Hz o Fa 6 (índice franco-belga).

1

En nuestro primer sistema de modelo físico vamos a utilizar el objeto *rand~* como sonido generador. Este objeto nos deja acotar la frecuencia por debajo de la cual va a operar el ruido; así definimos con mayor precisión su espectro. Es obvio pensar que, si introducimos un trocito de nuestro ruido en una repetición continua, este se convierte en una onda periódica, cuyo periodo será la duración del *loop*, y por tanto su frecuencia será la inversa de esta duración. El filtro (*onepole~*) nos permite eliminar las frecuencias agudas y focalizar la energía del ataque por debajo de una frecuencia concreta. En este ejemplo haremos el filtrado sin el proceso de retardo original.

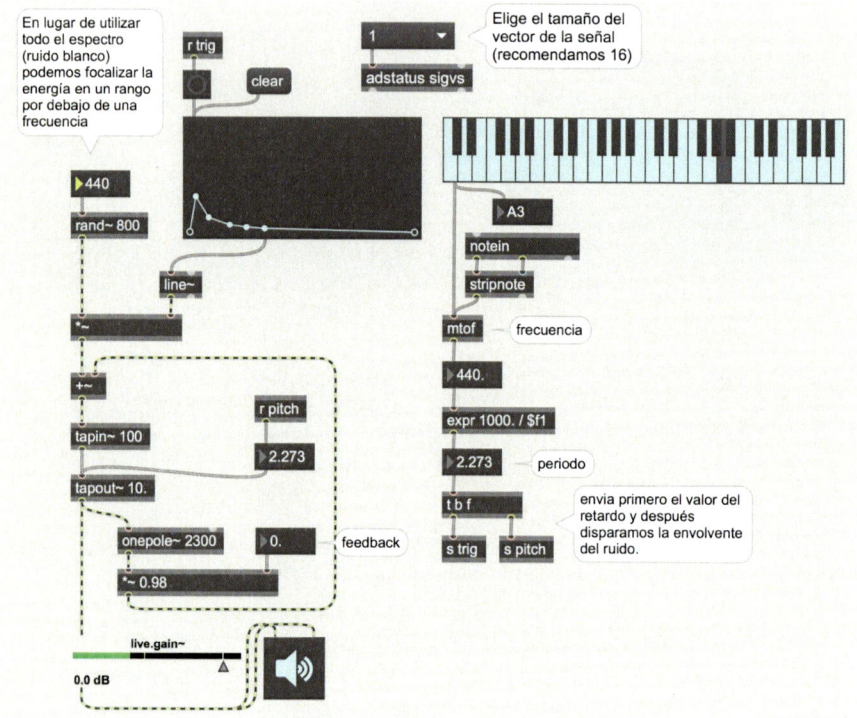

Img. 168. *Patch* Modelo1.

A partir del valor MIDI que sale del *kslider* y a través del objeto *mtof* conseguimos la frecuencia en hercios; después realizamos su inversa (con el objeto *expr* y con el valor de tiempo en milisegundos). Cuando ya tenemos el valor del periodo y con la ayuda del objeto *trigger* (t), priorizamos el mensaje del periodo (que será el valor de retardo) al *bang* que necesitamos para poner en marcha la envolvente de ganancia. Vemos que, una vez se crea el *feedback* se somete al filtrado del objeto *onepole~* (filtro pasa-bajos), y con la ayuda del multiplicador se va desvaneciendo poco a poco el audio que circula en el *loop*.

Una de las "virtudes" de este planteamiento es que cada vez que generamos una nota nueva introducimos en el sistema una porción aleatoria de ruido, con lo que todos los ataques van a tener un origen diferente, comportamiento que lo acerca a los transitorios – señales de muy corta duración, comienzos o finales abruptos de señales que poseen un alto grado de contenido armónico indeterminado, que no necesariamente coincide con múltiplos del tono fundamental (principio de incertidumbre de Heisenberg), y lo acerca también por lo tanto a la realidad sonora del ataque de un instrumento musical.

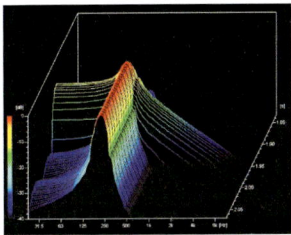

Img. 169. Transitorio en un ataque, extraída de TS-64 *Transient Shaper Readme*, Cakewalk, 2008.

 2

Al hilo de lo que acabamos de mencionar en el ejemplo anterior, una de las maneras de conseguir un sonido idéntico, cada vez que generemos una nota nueva, necesitaría del uso de un generador de audio estable. En este ejemplo vamos a usar nuestro oscilador básico *cycle~*. En este caso, su frecuencia viajará exponencialmente desde 1.000.000 Hz. a 0 Hz en 10 ms. Esta rampa descabellada se parece mucho a un ruido minúsculo, y veremos que a veces se utiliza para construir económicos impulsos en dispositivos electrónicos.

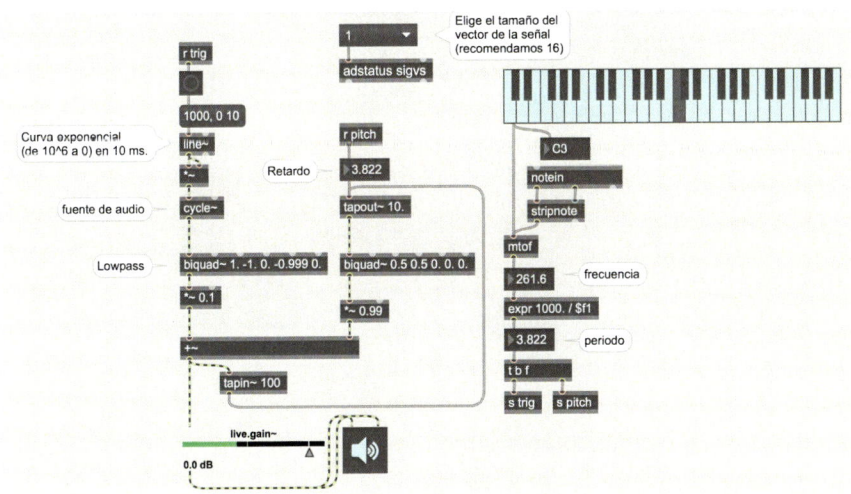

Img. 170. *Patch* Modelo2.

En este caso hemos operado de igual manera que el ejemplo anterior, sin embargo, hemos utilizado dos filtros más complejos (*biquad~*) para controlar de una manera más precisa, tanto el primer impulso generador como el *feedback* que se crea en el *loop* entre *tapin~* y *tapout~*.

_3_

Volviendo al uso del ruido como elemento generador, en el siguiente ejemplo hemos establecido una compensación para la intensidad del *feedback* en función de la altura del sonido; en este caso conseguimos definir mejor el comportamiento de la resonancia en proporción a la altura (y así igualar los registros). Para ello hemos utilizado el objeto *zmap*, que ofrece el mismo funcionamiento que el objeto *scale*, pero con la diferencia de que podemos acotar los límites del escalado; los valores no van a pasar de los límites que establezcamos (mientras que el objeto *scale* necesita que nosotros acotemos los valores de entrada). Así pues, cualquier frecuencia que suba de 440 hercios va a tener un valor de 0.99, y así proporcionalmente hasta 0.96 para 0 Hz.

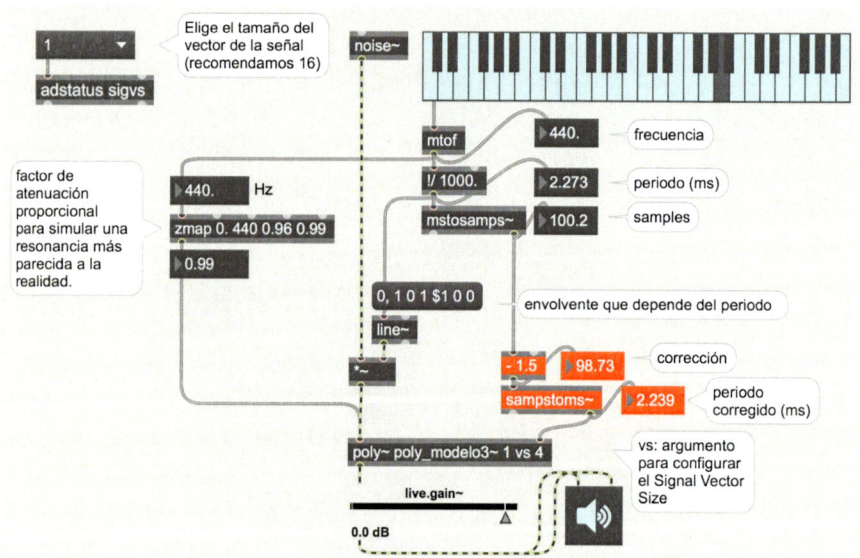

Img. 171. *Patch* Modelo3.

A diferencia de los ejemplos anteriores, en este caso hemos utilizado el proceso original de *delay* del algoritmo Karplus-Strong para el proceso de filtrado. Podemos ver algunas operaciones con los valores de *delay*, *samples* y frecuencia (en rojo). Todos estos cálculos tienen que ver con la compensación necesaria a causa de utilizar un *delay* como filtro pasa-bajos, y así ajustar con precisión el valor de la frecuencia deseada*. En este ejemplo estamos utilizado un ruido blanco al que le hemos establecido una envolvente dinámica con forma rectangular (0, 1 0 1 $1 0 0), donde $1 es el valor de periodo (en milisegundos).

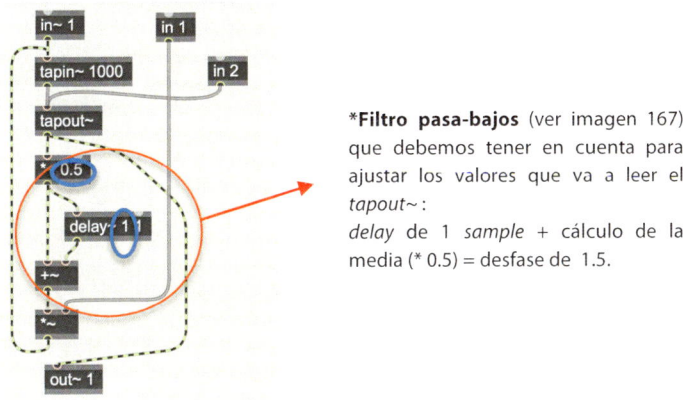

*Filtro pasa-bajos (ver imagen 167) que debemos tener en cuenta para ajustar los valores que va a leer el *tapout~* :
delay de 1 *sample* + cálculo de la media (* 0.5) = desfase de 1.5.

Img. 172. *Poly~ poly_modelo3~*.

Por otro lado, ¿por qué hemos metido el proceso de *loop* y *feedback* dentro de un *poly~*? Porque ya dijimos que si bajamos el tamaño del *Signal Vector Size* podemos operar con retardos más pequeños (necesarios para simular frecuencias agudas), pero se aumenta considerablemente el rendimiento de la CPU usada por (Max) MSP. Sin embargo, el objeto *poly~* guarda una agradable sorpresa: nos permite configurar el *SVS* sólo de aquello que esté contenido dentro de su ventana. Así pues, colocando nuestro proceso de retardo dentro del *poly~* podemos trabajar con un *SVS* apropiado (inferior al general) sin sobrecargar el rendimiento del *patch* principal (argumento vs).

4

En el siguiente ejemplo vamos a poder diseñar multitud de sonidos gracias a los parámetros configurables que hemos introducido en el siguiente modelo. Por un lado, tenemos el generador de impulso *click~*, por otro podemos añadir un breve (o no tanto) impulso aleatorio por medio del objeto *pink~* y su diseño temporal y de intensidad a través del objeto *function*. Con ambos elementos tenemos el corpus del sonido. Después, seguimos con el mismo proceso de retraso y retroalimentación, sin embargo, hemos colocado un filtro para el ruido rosa y otro controlable para el propio *feedback*. Por último, hemos añadido un control para disponer de un *glissando* entre una nota y la siguiente. Con este *patch* podemos conseguir multitud de sonidos diferentes.

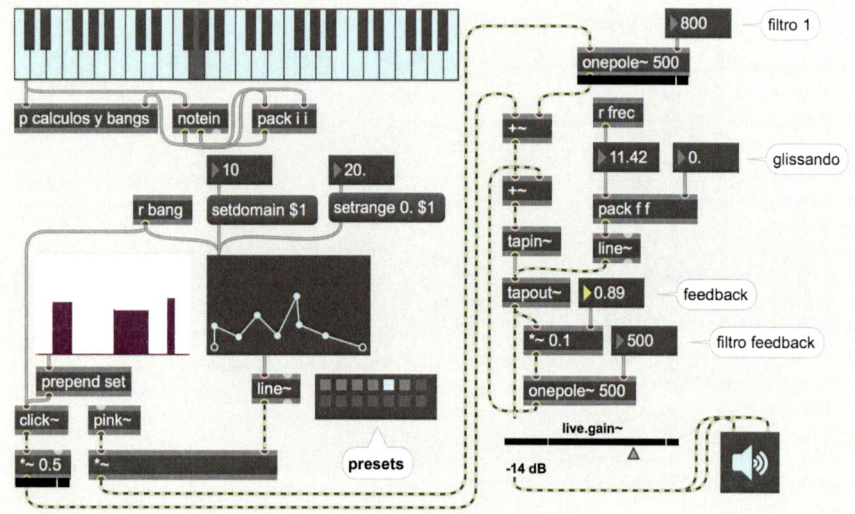

Img. 173. *Patch* Modelo4.

5

Cambiando de *modus operandi,* en el siguiente ejemplo hemos dejado de un lado el trabajo con retrasos y *feedbacks* y hemos vuelo a la utilización de un oscilador como fuente sonora. En este caso hemos diseñado un modelo físico con un resultado muy parecido al sonido de un vibráfono. Como vemos en la imagen 174, estamos enviando los datos del objeto *kslider* a través del objeto *stripnote* (para eludir los mensajes 0 de *note off*). En este caso vamos a aprovechar al máximo las posibilidades del objeto *poly~,* ya que vamos a tener acceso a polifonía para nuestro modelo físico.

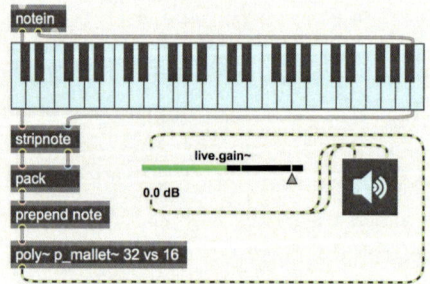

Img. 174. *Patch* Modelo5.

Dentro del *poly~ p_mallet~* hemos colocado varias novedades; por un lado, la gestión de la altura va directamente a parar a un *cycle~*, pero en este caso vamos a condicionar la envolvente según su frecuencia. El tiempo de *decay* va a depender de la frecuencia (a mayor grosor y dimensiones de una lámina de vibráfono mayor tiempo de apagado, y viceversa). Hemos establecido un *decay* de 1500 milisegundos para la frecuencia de 440 Hz, y a partir de esta premisa se calculan las demás mediante la fórmula que vemos en la imagen 175. Ambas rampas tienen un factor exponencial (-0.5 y -0.75) que se gestionan mediante el objeto *curve~*.

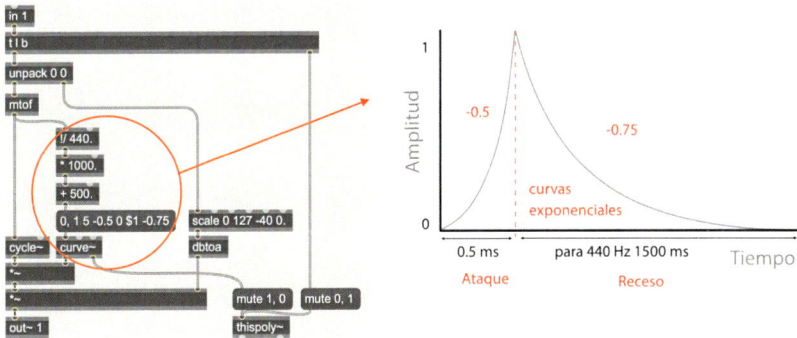

Img. 175. *Poly~* del *patch* Modelo5 y envolvente para el objeto *curve~*.

Por otro lado, la intensidad de cada nota la hemos escalado desde valores MIDI a valores en decibelios (objeto *scale*), después los pasamos por el objeto *dbtoa* y de este modo tenemos valores de amplitud de 0. a 1. Por último, y dado que vamos a poner en marcha hasta 32 voces (ver imagen 174), debemos economizar cada una de las instancias, para que se activen o desactiven en función de las notas que estemos tocando al mismo tiempo. Para ello mandamos un *bang* cuando se toca una nota que va conectado a la caja de mensaje *mute 0, 1* (activamos el *poly~*). Una vez acaba la envolvente de la nota en cuestión, el objeto *curve~* nos proporcionará otro *bang* por su salida derecha, que activará la caja de mensaje *mute 1, 0* y apagará la instancia correspondiente – ambas conectadas objeto gestor *thispoly~*.

___6

Para ir concluyendo este capítulo vamos a recuperar el uso del ruido. Construiremos un sistema que sea capaz de producir timbres complejos a partir del filtrado de varios ruidos simultáneos. En la introducción de este capítulo decíamos que en la producción de un sonido percusivo intervienen multitud de factores físico-acústicos: el parche, la membrana, las resonancias del cuerpo, los bordones, el material de la baqueta, la fuerza y el ángulo de golpeo, las condiciones de la sala, etc. De una manera intuitiva y a partir de nuestra agudeza auditiva vamos a ir ajustando los parámetros que nos ofrece el objeto *reson~* (filtro resonante con control de frecuencia, ganancia y factor Q) aplicado a 4 ruidos, uno blanco y tres rosa. Para la envolvente dinámica de cada ruido planteamos un dominio temporal propio de 2 segundos, cuya definición vamos modelando a través de 4 objetos *function*. Los coeficientes de frecuencia resonante de nuestros cuatro filtros vienen determinados por un coeficiente de multiplicación (cable granate) respecto de uno "fundamental"; dicho coeficiente podrá ser más o menos armónico en función de las necesidades de nuestro modelo físico.

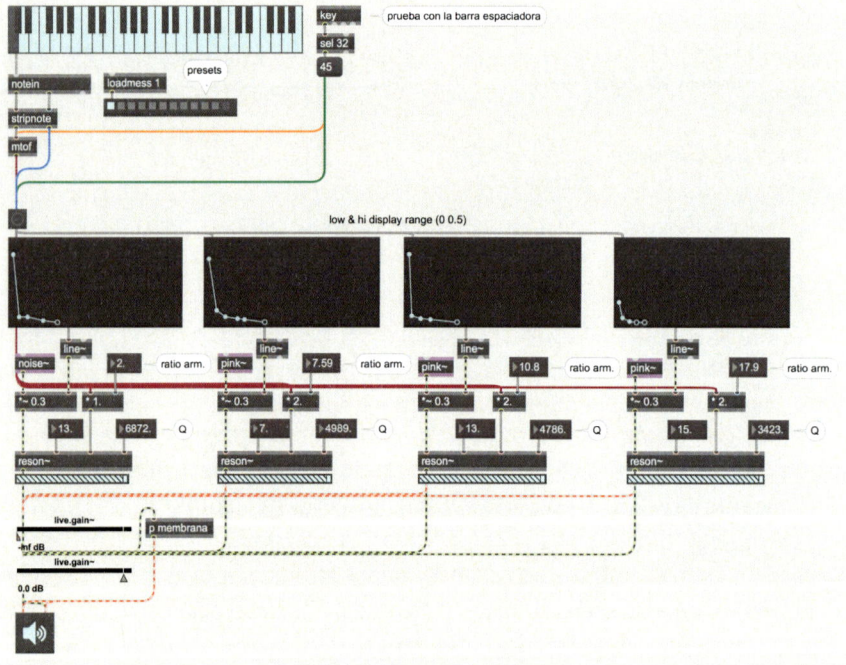

Img. 176. *Patch* Modelo6.

Por otro lado, y para tener un timbre más completo, se ha diseñado otro conjunto de 13 resonadores (*subpatch* "membrana") que recoge la señal creada y la vuelve a filtrar. La ganancia de este *subpatch* se puede sumar y ajustarse a la original, consiguiendo así un sonido más complejo y parecido a un modelo acústico real.

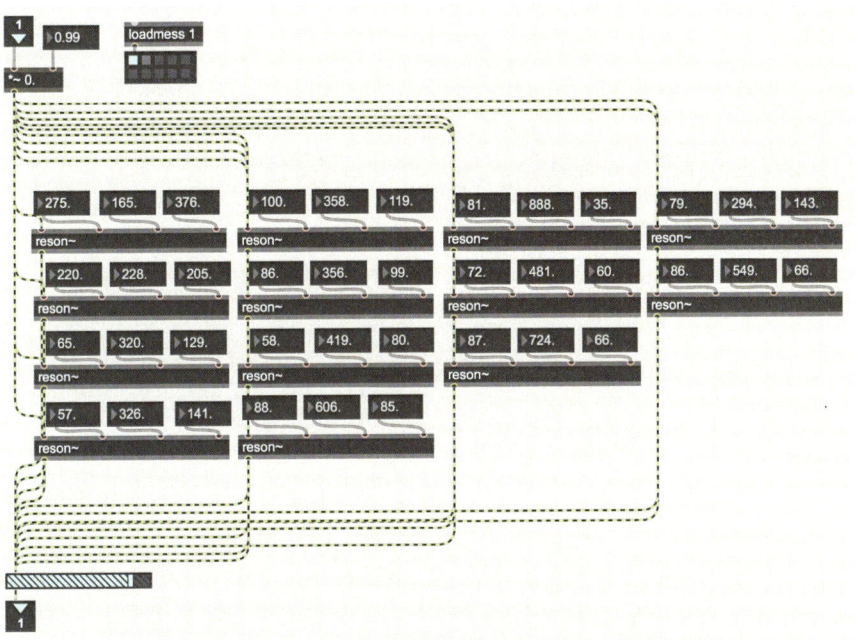

Img. 177. *Subpatch* membrana del *patch* Modelo6.

Cada uno de los valores que se han memorizado en los objetos *preset* de este *patch* y *subpatch*, así como las intensidades de los diferentes objetos *gain~*, propician un timbre diferente y concreto. Podemos comprobar como hay sutiles variaciones acústicas al activar la memoria 2 del *preset* del *subpatch*.

Para poder disponer de polifonía sólo habría que insertar algunos elementos de nuestro sistema dentro de un objeto *poly~*.

_7

Por último, y como modelo físico estrella, vamos a diseñar el sonido del gamelán indonesio. Con la ayuda de un simple ruido y múltiples filtros resonadores establecidos en proporciones inarmónicas, sintetizaremos el sonido de estos tipos de metalófonos, como el *saron, bonang o gangsa.*

Sabemos que, a diferencia de las escalas que se basaban en el intervalo de 5ª pura o pitagórica: china (fa-do-sol-re-la; *fa sol, la, do, re…*), japonesa (mib–sib-fa-do-sol-re-la: *re, sol, la sib, re, mib, sol, la sib, re, mib…*), las escalas de los instrumentos tradicionales indonesios están construidas en base al grado de consonancia entre el sonido de sus láminas y sus parciales (sonidos inarmónicos). A continuación, podemos ver la curva de consonancia/disonancia de una lámina de *saron* con respecto a diferentes armónicos puros, que han sido corregidos en distancia (temperados) para obtener mayor grado de consonancia con respecto a esta lámina de referencia. Los mínimos de la curva coinciden con la división de la escala *Pélog*.

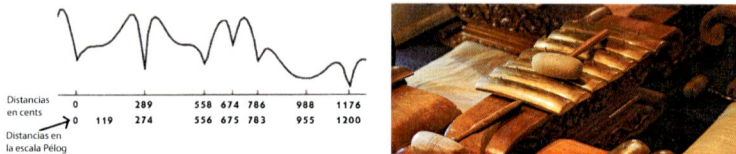

Img. 178. Curva de disonancia percibida en una lámina de *saron* (izquierda), y *saron barung, orquesta gamelan en la embajada indonesia en Australia.*

En cualquier caso, en cada instrumento particular, la afinación y las cualidades tímbricas varían ligeramente, ya que la propia técnica de construcción de las láminas provoca variaciones. Para emular este comportamiento aleatorio vamos a generar una lista de 20 valores *random* a partir de una frecuencia fundamental. Para ello utilizaremos los objetos *uzi* (que generan un nº de *bangs* específicos) y el objeto *zl* que, acompañado de diferentes argumentos, nos permite agrupar, ordenar y distribuir de un modo concreto estas listas de números.

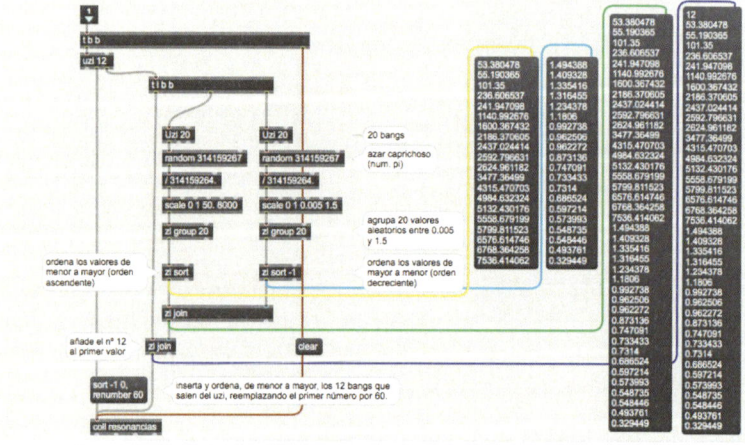

Img. 179. *Subpatch* haz_resonancias del *patch* Modelo7.

Una vez que tenemos definidas las resonancias de cada nota (con relaciones inarmónicas) tendremos que construir el gestor del espectro final; para ello utilizaremos el objeto *poly~*. Dentro del *poly~ p_gamelan* nos encontramos dos entradas, una de datos y otra de señal. La de datos simplemente servirá para dos envolventes dinámicas: una para las ganancias de los 20 filtros (en verde), y otra (en rojo) para la duración de cada instancia y la desactivación del procesamiento del *poly~* (objeto *thispoly~* y mensaje *mute 1, 0*). La entrada de señal (*in~* 1) está leyendo el objeto *rand~* del *patch* principal.

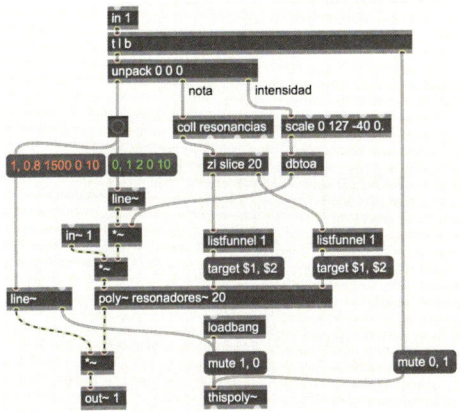

Img. 180. *Poly~* p_gamelan.

Como ya hablamos en el ejemplo 8 del capítulo 1, el objeto *listfunnel* junto al mensaje *"target $1, $2"*, nos permite comunicarnos con cada instancia del *poly~* (empezando por el valor 1, *listfunnel 1*). Por cada nota que se lanza a través del secuenciador de pasos (*live.step*) se ponen en marcha 20 filtros diferentes, cuyos parámetros están definidos en la lista "resonancias".

60, 68.90374 295.957848 310.395523 767.422289 1447.730776 2133.530434 2906.094892 2992.867993 3212.232756 3467.095607 3765.251694 3833.439678 4469.060917 5272.967797 5787.617115 6456.103619 6664.537714 7348.605581 7382.287736 7395.533516 **1.405343 1.390783 1.228463 0.934113 0.885589 0.853142 0.825339 0.818468 0.810873 0.771512 0.764928 0.732875 0.68569 0.562596 0.461909 0.383716 0.316043 0.135145 0.10811 0.060022;**

Estos números, separados en dos grupos de 20 elementos cada uno (con el objeto *zl slice 20*), controlarán los parámetros de cada filtro resonador. En negrita vemos un ejemplo de los valores que definirán la ganancia y el factor Q – ambos irán relacionados mediante multiplicación, el resto define la frecuencia de corte (imagen 181). El número inicial 60 hace corresponder la primera fila a la nota Do 3 (índice acústico franco-belga) que será el *offset* del objeto/interfaz *live.step*.

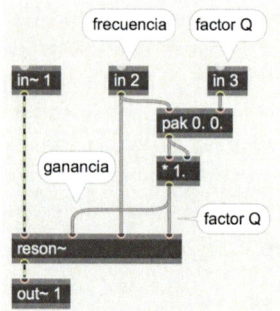

Img. 181. *Poly*~ resonadores~.

Para automatizar y secuenciar las notas y sus duraciones utilizaremos el objeto *live.step*. Precisamente el parámetro de intensidad (envolvente dinámica de cada ruido filtrado, color verde en la imagen 180) se va a definir a partir este objeto/interfaz (sus parámetros se pueden visualizar y configurar gracias al objeto *umenu* y a través de una caja de mensaje con el argumento *"mode $1"*). Para operar con estos valores y definir así cada una de las 20 rampas hemos interpuesto los objetos *scale* y *dbtoa* (ver imagen 180). El

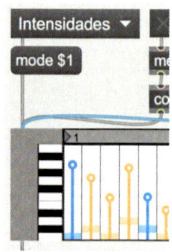

aspecto del *patch* principal es el que vemos en la imagen 182. El objeto *live*.step, permite configurar: tesitura, controlar la nota que se dispara, altura, intensidad, duración y dos valores extras para automatizar. Antes de finalizar insertamos el objeto *clip*~, que acompañado de dos argumentos (mínimo y máximo) puede limitar los valores de la señal a la salida del DAC y así no saturar, llegado el caso ;)

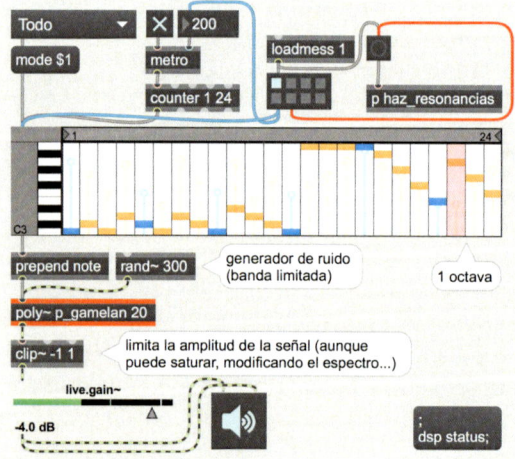

Img. 182. *Patch* Modelo7.

10. Síntesis granular

El ingeniero e inventor húngaro Dennis Gabor, premio Nobel de física y padre de la holografía, fue uno de los primeros que recuperó en su artículo "*Acoustical Quanta and the Theory of Hearing*" (1947) el término *quantum*, concepto originario de la filosofía atomista de la Grecia clásica. Ya en 1925, el matemático estadounidense Norbert Wiener había utilizado este término para definir la unidad indivisible de información desde el punto de vista acústico, sobre la cual se basarían todos los fenómenos sonoros a mayor escala. Gabor observó que, mientras la teoría de Fourier era perfecta para determinar el componente armónico de una señal de audio, era insuficiente para determinar su localización en el tiempo. Así pues, se hacía necesaria la implementación de este parámetro en la definición, análisis y re-síntesis de una señal de audio.

En el lado creativo, el compositor griego Iannis Xenakis empezó a explorar en 1959 la combinación de estas micro-partículas sonoras en su obra *Analogique A-B*. *Analogique B* es la parte de síntesis granular de *Analogique A-B*. Fue diseñada para sonar al mismo tiempo que *Analogique A*, obra para orquesta construida a partir de métodos estocásticos. La parte B consiste en 4 pistas difundidas a través de 8 altavoces, colocados como vemos en la imagen 183.

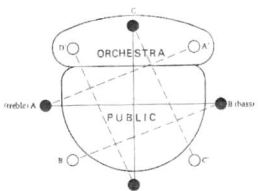

Img. 183. Disposición de altavoces para *Analogique B*.

La Síntesis granular se basa en la producción de una gran densidad de pequeños eventos acústicos que se denominan granos acústicos (*sonic grains*), con una duración inferior a 50 ms. (típicamente entre 10 y 30 ms.), para componer sonidos complejos. Las densidades típicas de dichos eventos van desde varias

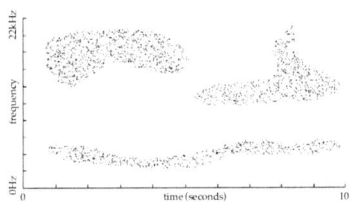

Img. 184. Nube de granos

centenas a varios millares de eventos por segundo, donde cada elemento se puede generar a partir de una forma de onda simple u obtenida por cualquier tipo de síntesis.

Las primeras implementaciones digitales de la técnica granular se deben a Curtis Roads, en 1974, en la Universidad de California en San Diego y en 1981 en el MIT; y a Barry Truax, quien desde 1986 aplicó extensivamente la técnica en tiempo real con el sistema DMX-1000.

Img. 185. Computadora DMX-1000.

En 1996 Curtis Roads, en su libro *The computer music tutorial,* organizó la síntesis granular en 5 categorías: asíncrona, quasi-sincrónica, sincrónica en altura, transformada de ondícula[2] y concreta. Dependiendo de la distribución temporal de los granos (regular, aleatoria o estocástica), sus parámetros morfológicos (longitud, espaciado, densidad, ventanaje, etc.) y su naturaleza sonora (formas de onda simple o material concreto), se podrían producir resultados sonoros muy diferentes. Si elegimos como material sonoro una sinusoide y superponemos diferentes capas de granos a frecuencias diferentes podríamos generar un conjunto espectral concreto. De este modo nació 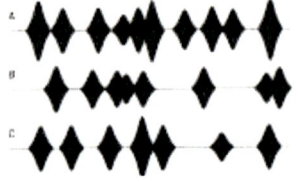 la FOF, o *fonction d'onde formantique*, que se utilizó en el programa CHANT[3] para la emulación de la voz. En este caso se superponían 5 capas diferentes de granos, emulando así el filtrado natural que se produce al hablar en la cavidad bucal. La FOG (*fonction d'onde granular*) utiliza material concreto (grabado) como fuente sonora.

---

[2] Ondícula, es un tipo especial de transformada matemática que representa una señal en términos de versiones trasladadas y dilatadas de una onda finita (denominada óndula madre).
[3] CHANT, *software* desarrollado por Xavier Rodet en el IRCAM para el análisis y la síntesis de la voz cantada.

_1

En nuestro primer ejemplo vamos a granular una onda simple. Para controlar su envolvente dinámica y así generar la micro-partícula sonora usaremos el objeto *function*. La duración la definiremos mediante el mensaje *setdomain*. Mediante el objeto *metro* activaremos el disparo para la envolvente dinámica a una frecuencia determinada y, añadiendo un sumatorio +, podremos regular el tiempo de silencio entre granos.

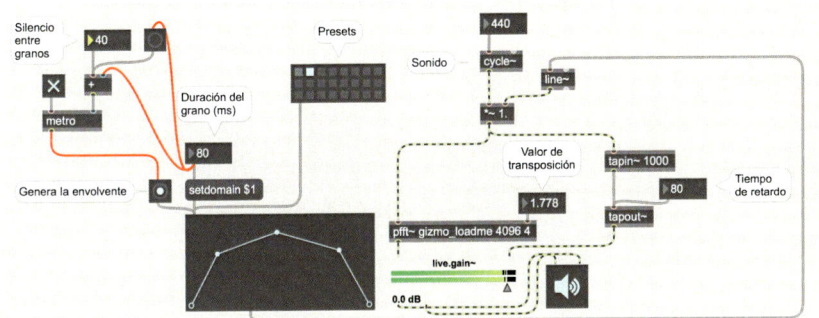

Img. 186. *Patch* Granular1.

Como vemos, se ha incorporado un efecto de retardo para el canal derecho y un transpositor de altura (mediante el objeto *pfft~* y su consecuente objeto *gizmo_loadme*) como variación para la altura del canal izquierdo.

En un siguiente paso hemos añadido la generación aleatoria de varios parámetros: tiempo de silencio entre granos (cable naranja), índice de transporte (*pitchshifter*, cable rosa), duraciones de los granos (no inferior a 10 ms., cable verde) y canal de salida para el transpositor (cable azul). Vemos como, con la ayuda del objeto *gate* y *gate~*, podemos sincronizar cada nuevo valor leyendo el *bang* que lanza el objeto *line~* al terminar de ejecutar la envolvente dinámica.

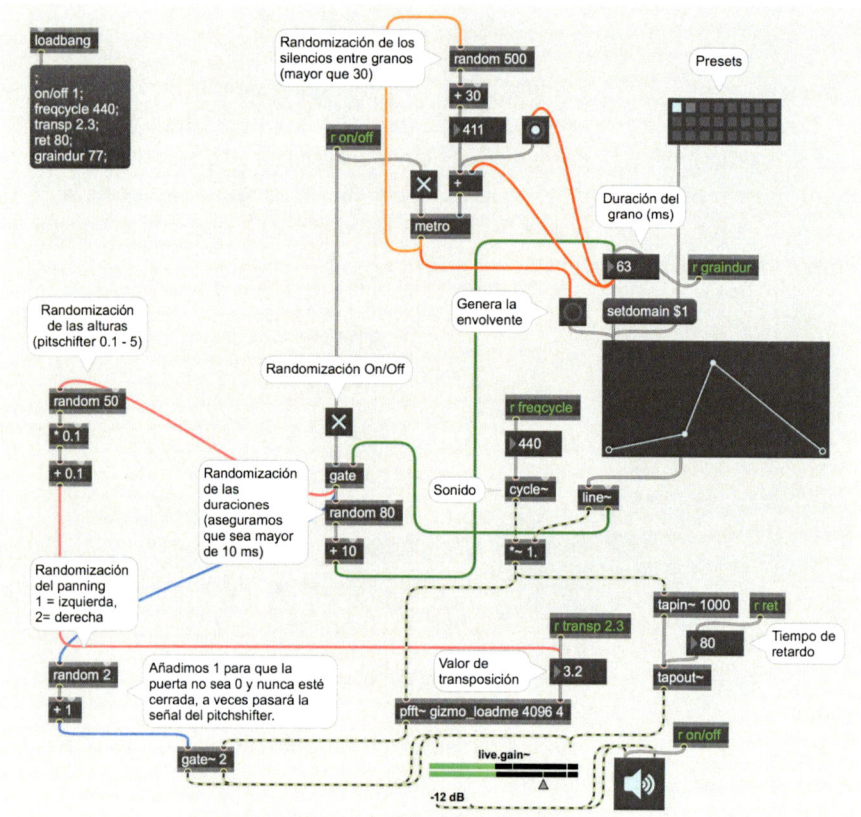

Img. 187. *Patch* Granular1b.

Aún podemos ir un poco más allá con nuestro primer ejemplo y aplicar todos estos procesos aleatorios de generación granular a un archivo de audio. Como vemos en la imagen 188, hemos cargado en un *buffer~* una pista cualquiera y, mediante el objeto *groove~* (asignándole el mismo nombre que el *buffer*), podremos leer, controlar y granular su reproducción.

Es interesante conocer el envío "inalámbrico" de datos que podemos ejecutar con un simple mensaje, muy útil para inicializar los parámetros de un *patch*, o comunicarnos con objetos contenidos en *subpatches*. La caja de mensaje que vemos en el extremo superior izquierdo de la imagen 187, nos permite controlar al mismo tiempo todos los parámetros necesarios (con sus respectivos *receives*, en verde) para la puesta en marcha del *patch*.

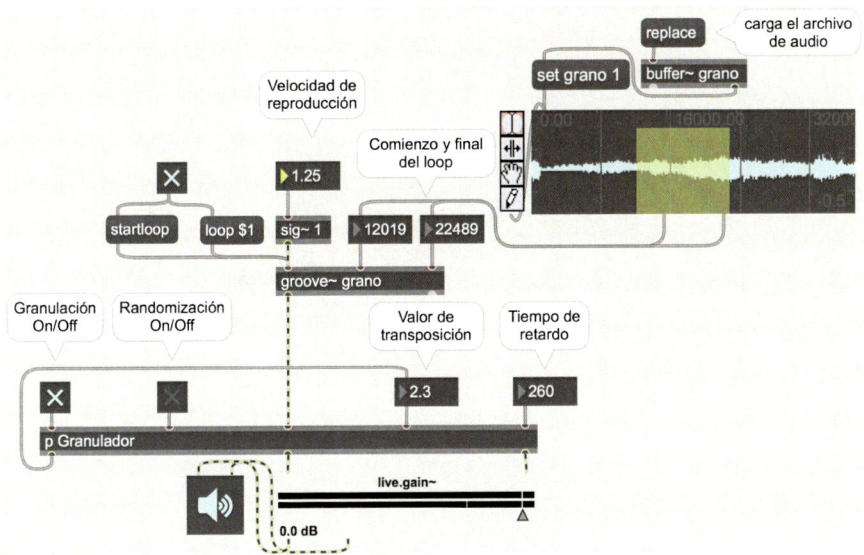

Img. 188. *Patch* Granular1c.

El *subpatch* "granulador" tiene exactamente los mismos parámetros que el paso anterior, con la salvedad de que en este caso la fuente de sonido ya no es una simple sinusoide, sino la información de nuestra pista de audio a través del objeto *groove~* (tercera entrada al *subpatch*). Mediante el uso del objeto *sig~* (que no es otra cosa que un conversor de número a señal de audio) podemos variar la velocidad de reproducción del objeto *groove~*. Además, hemos utilizado el objeto *waveform~* (visor y editor de audio sobre un *buffer~*), cuya interfaz gráfica nos permite controlar el inicio y final del fragmento.

_2

En el siguiente ejemplo vamos a controlar la envolvente dinámica mediante el diseño de un *buffer*. Como vemos en la imagen 189, podemos llamar ciertas funciones matemáticas para definir el contenido del objeto *buffer~*. Mediante la definición del tamaño en *samples* (*size*), la orden *fill 1* y *apply*, para establecer una función matemática (seno, coseno, triangular, *hanning*…), "rellenamos" su contenido. Una vez que establecemos nuestro sonido generador y mediante la ayuda del objeto *float* (*f*) almacenamos los datos de altura y la duración de los granos. Para ello utilizaremos el objeto *play~*, que va a ser el "motor" para la ejecución del mencionado *buffer*. Por otro lado, la gestión última del volumen la gestionaremos con la ayuda del objeto *dbtoa*, y así transformaremos índices de volumen expresados en *dBFS* a índices de amplitud.

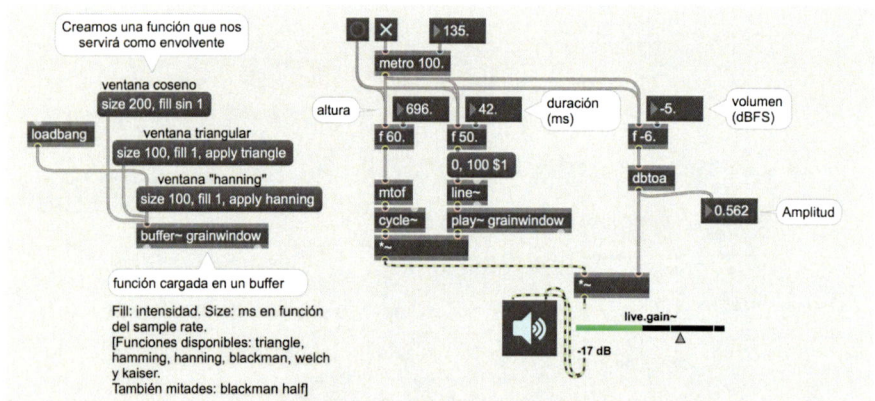

Img. 189. *Patch* Granular2.

En un siguiente nivel de complejidad podríamos definir una generación aleatoria de la altura de nuestro sonido. Como vemos en la imagen 190, hemos construido con la ayuda de unas cuantas operaciones simples y el objeto *rslider* (*slider* de rango), un pequeño sistema en el que podemos indicar un rango numérico. Podemos establecer el tamaño del rango, el mínimo valor y el rango deseado dentro de dichos parámetros.

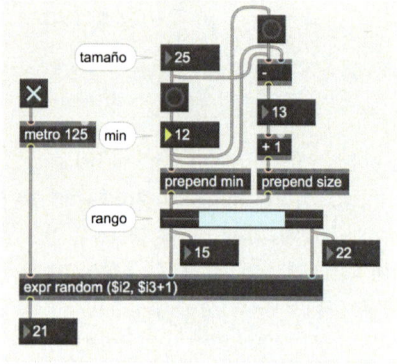

Img. 190. Generación aleatoria de rango.

Además de este módulo, y dado que la expresión *random* no permite la generación de números decimales, vamos a preparar otro módulo para gestionar las duraciones de cada envolvente dinámica. En la imagen 191 vemos como hemos utilizado el objeto *pak,* que devuelve la lista actualizada cuando cualquier número en sus entradas es modificado. Establecemos un rango para el objeto *rslider* de 99 y un valor mínimo de 1, de modo que al pasar por los cálculos que hemos utilizado (resta inversa, multiplicación y suma) tenemos valores que oscilarán entre 1 y 100 ms.

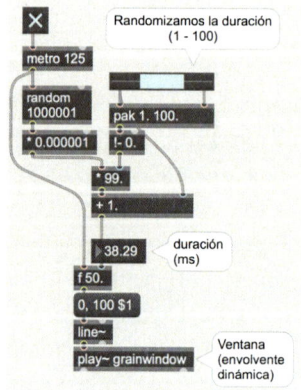

Img. 191. Generación aleatoria de rango2.

El módulo anterior lo vamos a duplicar y, modificando ciertos criterios, podremos controlar el volumen de cada uno de nuestros granos. Para ello utilizaremos índices comprendidos entre -60. y 0., y así poder definir valores en decibelios (*dBFS*, *full scale*) con la ayuda del objeto *dbtoa* (ver imagen 193).

Por último, y como vemos en la imagen 192, antes de ensamblar todos los elementos, vamos a construir un sistema de difusión aleatoria para nuestro *stereo*. Hemos aprovechado el comportamiento del objeto *cycle~* que, con una frecuencia de 0 Hz, devuelve un valor constante de 0 cuando su fase es de 0.25 o 0.75 (equivale a la posición de 90 y 270 grados respectivamente) y 1 cuando su fase es de 0 o 1 (equivale a 0 y 360 grados respectivamente); así obtendremos valores decimales de señal entre 0. y 1. mediante generación *random*. La caja de número decimal de color naranja será la que controlemos con el módulo de *dBFS* que mencionábamos en el párrafo anterior.

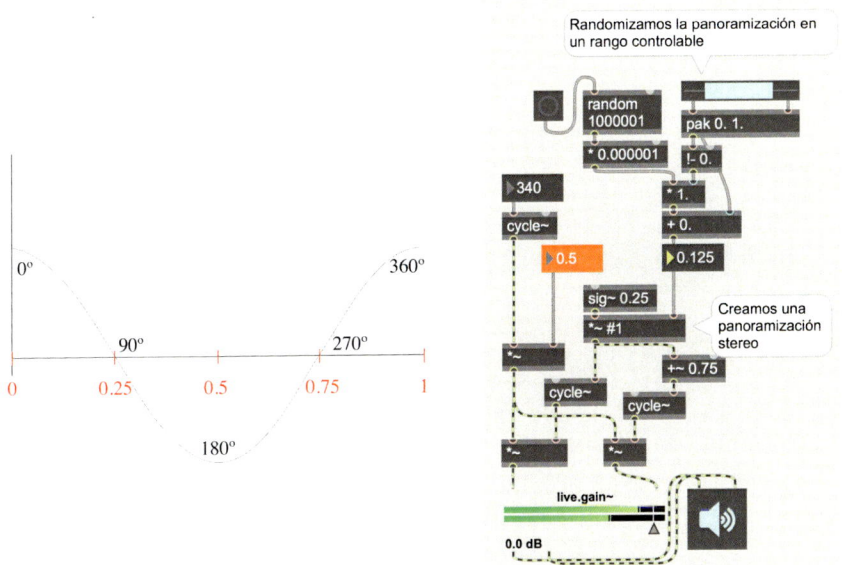

Img. 192. Valores de fase para el objeto *cycle~* (diseñado con función coseno), y generación aleatoria de rango3.

Con este tipo de panoramización no tendremos una graduación lineal, sino un *crossfade* de intensidad basado en la función coseno, muy similar a una rampa logarítmica.

En la imagen 193 podemos ver todo el sistema completo y ensamblado. Al final tenemos cuatro módulos: generación de alturas, duración de envolventes (*EG*, *envelope generator*), volumen para cada grano y panoramización *stereo*. La velocidad del *metro,* que pone en marcha todos los módulos, estará definida en base al cálculo de granos por segundo que deseemos; insertando una sencilla división inversa (1000 / cualquier número) tendremos su correspondiente velocidad.

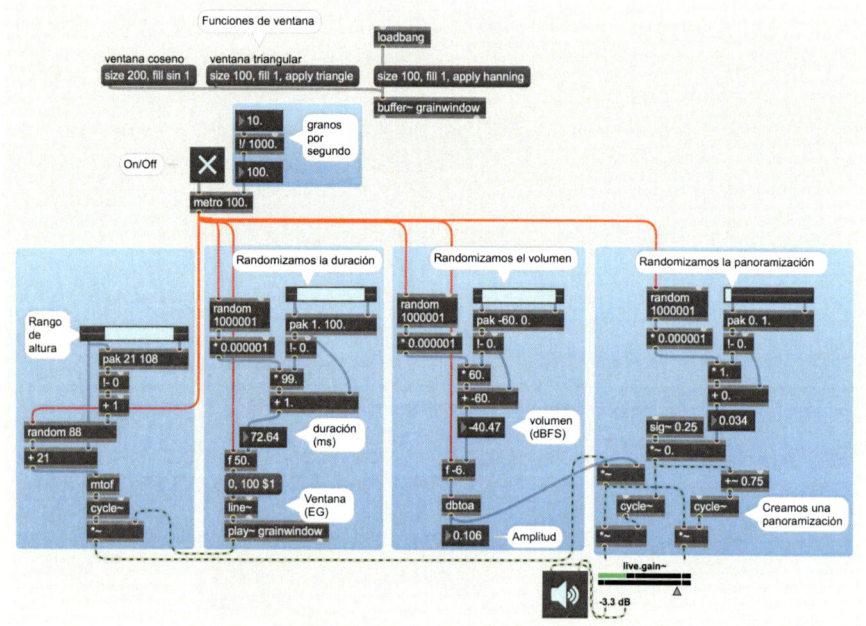

Img. 193. *Patch* Granular2b.

Si vamos probando las diferentes ventanas (envolventes) creadas a través del objeto *buffer~* (coseno, triangular o *hanning*), podremos ir notando las sutiles diferencias en las nubes de granos que se generan.

3

El siguiente ejemplo va a tener algunos puntos en común con los anteriores, sin embargo, vamos a explorar algunos recursos más para poder obtener una nube de múltiples granos. Para empezar, utilizaremos el objeto *dropfile*, que nos permite hacer *drag&drop* y así cargar un archivo de audio en nuestra memoria temporal (objeto *buffer~*) arrastrándolo a su interfaz gráfica. Mediante el objeto *info~* obtenemos la longitud en ms. del archivo, y la vamos a aprovechar para concordar nuestro *slider* (rosa) con dicha longitud. Los objetos en color azul se van a encargar de gestionar la reproducción de los granos. El multiplicador (*

200) que vemos en azul, se va a alimentar del *slider* (verde) para establecer la longitud del grano (hemos establecido su rango de 0 a 5000). Para cambiar la afinación del grano (caja de número con triángulo amarillo) necesitamos adaptar el objeto *play~* a la transposición. Ej: si queremos bajar su afinación a la mitad (x0.5 – octava baja) necesitamos que el objeto *play~* lo haga 2 veces más largo, así adaptamos la velocidad de lectura a la afinación para que no sean dependientes. Para ello utilizaremos el objeto !/ 1., que nos devolverá la inversa al valor que le entre. En color rojo vemos el objeto *trapezoid~*, que permite insertar una rampa trapezoidal entre los valores que entran desde el *line~*, evitando así los clics que surgen al mover el *slider* rosa.

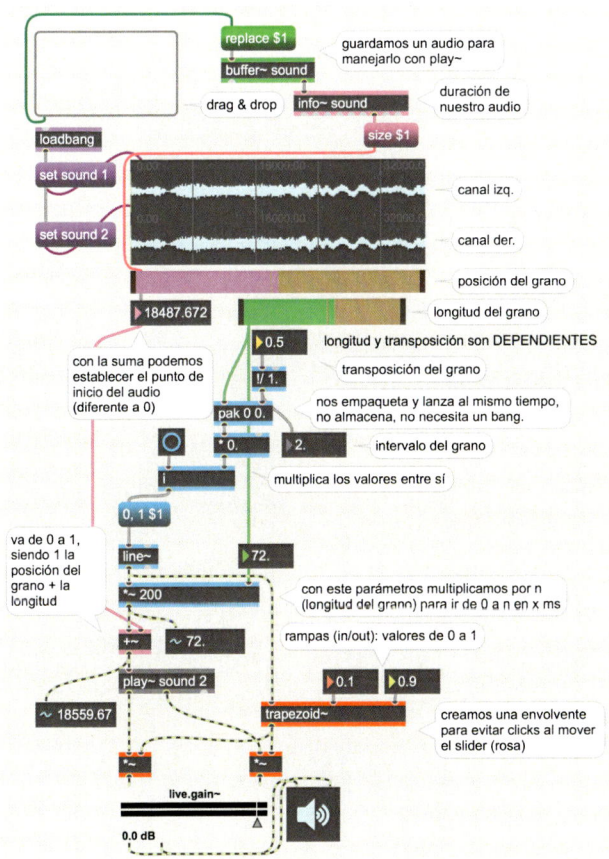

Img. 194. *Patch* Granular3.

La mayor parte de este módulo va a ser el encargado de generar cada una de nuestras voces para el granulador. Para ello vamos a crear múltiples copias y dispararlas secuencialmente. Antes de esto, empezaremos añadiendo objetos de envío y recibo de datos (s, *send* y r, *receive* – en naranja) para tener un *patch* más sencillo y limpio que hará de interfaz de manejo. En la imagen 195 vemos el *patch* principal en modo edición. El contorno rosa en algunos objetos indica que los hemos incluido en el modo "presentación", así serán los únicos visibles al activar dicho modo (además de poder variar su tamaño y situarlos en el lugar que queramos). Esta vez hemos usado un *multislider* para la posición del grano, ya que su GUI ofrece la posibilidad de mostrar una barrita indicadora con color independiente (mientras que el *slider* no permite configurar una barra con color diferente al relleno).

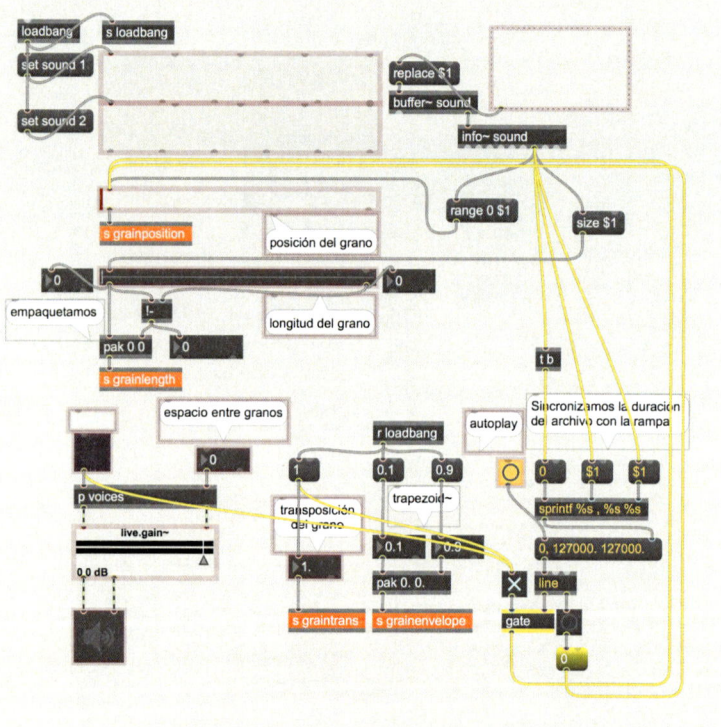

Img. 195. *Patch* Granular3b.

Los objetos y cables en amarillo van a ofrecernos la opción de poder reproducir la pista que carguemos de modo automático, desde el principio hasta el final. Los valores de la caja de mensaje se definirán a través del objeto *sprintf*, que permite indexar cualquier lista de palabras o números (objeto basado en lenguaje C), leyendo los valores del objeto *info~*.

Max MSP cuenta con un recurso muy útil: la abstracción; muy parecido a un *subpatch*, con la diferencia de que podemos tener su información accesible y localizada fuera del *patch* (como un archivo independiente). Solo tenemos que darle un nombre y guardarlo en la misma ubicación que el *patch* principal. Como decíamos antes, el *subpatch* "*voices*" (imagen 196, izquierda) contiene 32 instancias de esta abstracción y que se van a disparar secuencialmente con un *counter*, con los pasos programados con anterioridad (imagen 196, derecha).

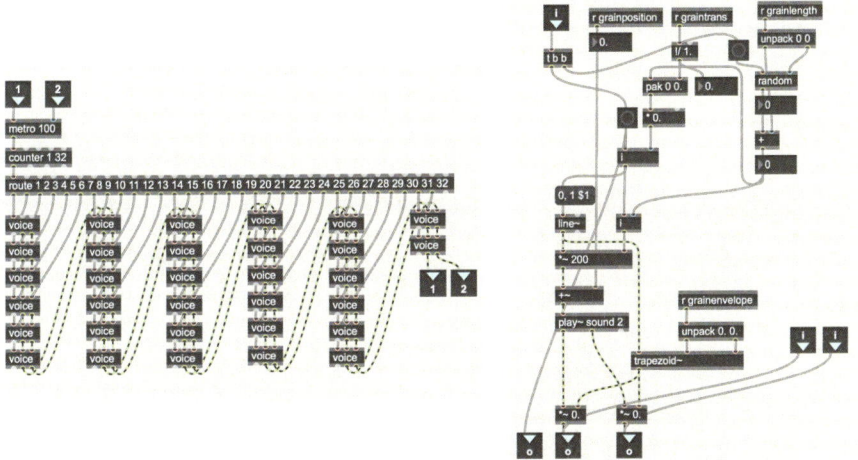

Img. 196. *Subpatch voices* y abstracción *voice*.

Al final y gracias a la posibilidad de hacer transparentes los fondos de los objetos *dropfile*, *waveform~* y *slider*, y poder superponer unos a otros, tendremos un *patch* principal con este aspecto:

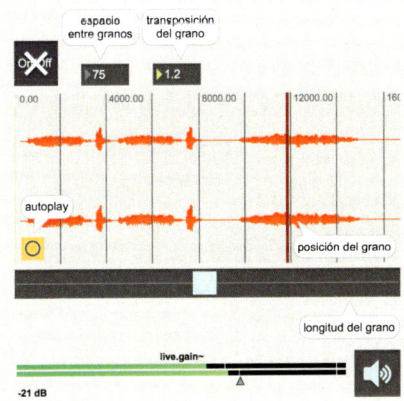

Img. 197. *Patch* Granular3b en modo presentación.

_4

En el siguiente ejemplo vamos a incluir algunas novedades, aunque el funcionamiento básico sigue siendo el mismo. En este caso vamos a granular la entrada de micrófono que habrá sido almacenada temporalmente en un *buffer~* de 10 segundos. Para este ejemplo vamos a controlar la velocidad de reproducción (mediante el objeto *groove~*) a partir de la posición de nuestro ratón en la pantalla. El objeto *mousestate,* activado mediante el mensaje *poll,* nos devuelve las coordenadas del ratón en los ejes X e Y. Con la ayuda del objeto *scale* ajustaremos estos valores a nuestras necesidades. En este caso, el eje X se encargará de la afinación y el eje Y de la velocidad de reproducción, pero podría ser al revés ;D.

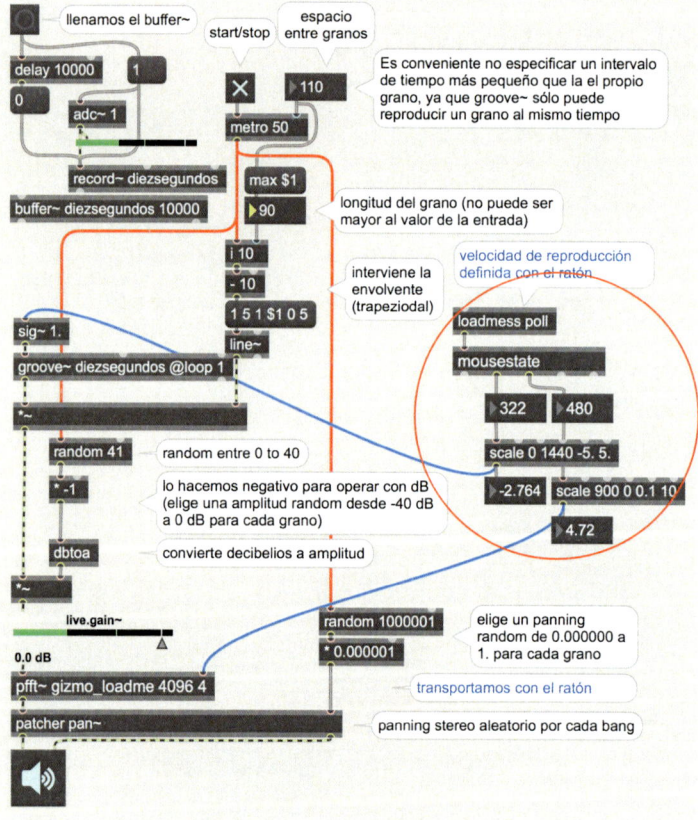

Img. 198. *Patch* Granular4.

Síntesis granular

Como vemos, hemos repetido personajes: *pfft~* para la transposición de los granos, generación *random* para los valores de panorámica (dentro del *patcher pan~* hemos usado los mismos objetos que aparecen en la imagen 192) y generación de intensidades aleatoria para cada grano (convirtiendo de dB, sobre una escala de -40 a 0 *dBFS*, a amplitud). Por último, y como novedad hemos insertado un pequeño condicionante para la envolvente dinámica. Como vemos en la imagen 198, existe una condición para la longitud del grano, y es que no podrá ser superior a la pausa entre granos. Lo vamos a definir con la ayuda del mensaje *"max $1"* conectado a la caja de número entero. Este es un recurso opcional para conseguir un comportamiento concreto, que podría ser eliminado para otros propósitos.

5

Para concluir este capítulo vamos a ojear uno de los míticos *patches* para síntesis granular. Diseñado en el año 2000 por el artista sonoro japonés Nobuyasu Sakonda, el *"MSP Granular Synthesis v.2.5"* integra de un modo algo más sofisticado los mismos procesos que hemos utilizado en los ejemplos de este capítulo.

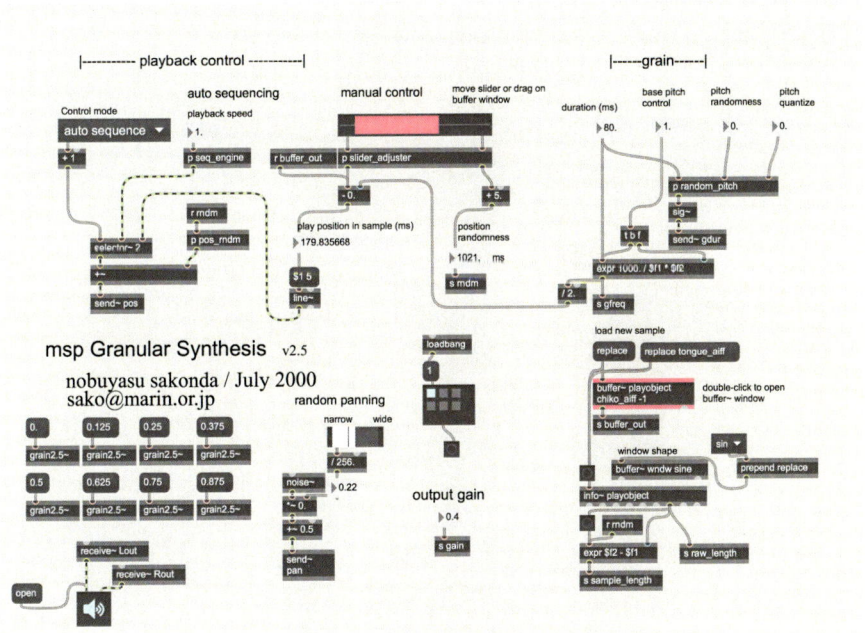

Img. 199. *Patch* Granular5.

impromptu✓ 139

Como podemos observar, el control de envolvente dinámica se realiza con la lectura de una función matemática dentro de un *buffer~* (*sin* y *tri*). También nos permite alterar la afinación de los granos y además establecer una ratio de cuantización para conseguir una alteración de altura más o menos armónica para cada grano. Tenemos reproducción automática, con diferentes velocidades, y *randomización* en la lectura temporal de los granos.

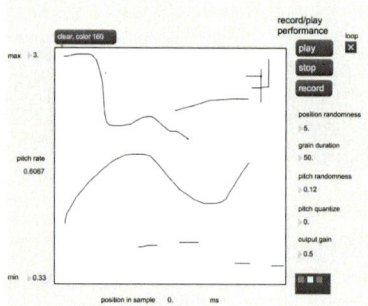

Img. 200. *Subpatch prism.*

Como vemos en la imagen 200, también ofrece una ventana de control de duración de la nube de granos a modo de interfaz gráfica de usuario (llamada *Prism*), en la cual podemos definir diferentes parámetros de la síntesis (altura y posición del archivo de audio) dibujando con el ratón sobre su superficie.

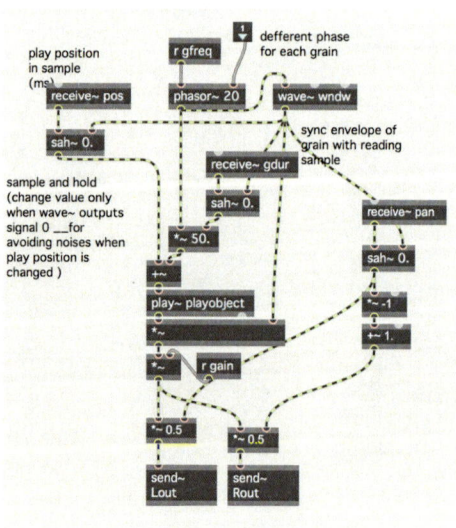

Img. 201. *Subpatch grain2.5~.*

En la imagen 201 podemos ver el contenido de las 8 abstracciones que generarán la nube de granos. En ellas se carga nuestra pista de audio a través del objeto *play~* (previamente almacenado en un *buffer*), y con la ayuda del objeto *sah~* (*sample & hold*) consigue evitar clics cuando la posición de lectura se modifica. El funcionamiento es similar al uso del objeto *trapezoid~* utilizado en el ejemplo 3 (ver imagen 194). En este caso, *sah~* mantendrá el valor de la señal recibida cuando su envolvente esté por encima de 0.001. La ventaja de tener en marcha estas 8 abstracciones (podemos ver que tienen fases desplazadas) es que podríamos asignar cada una a un canal diferente para una difusión octofónica de la nube de granos.

El propio Nobuyasu Sakonda desarrolló una evolución de este *patch* en 2011 llamado *sugarSynth~*, que ofrece síntesis granular en tiempo real, más recursos de manipulación y una interfaz mucho más versátil.

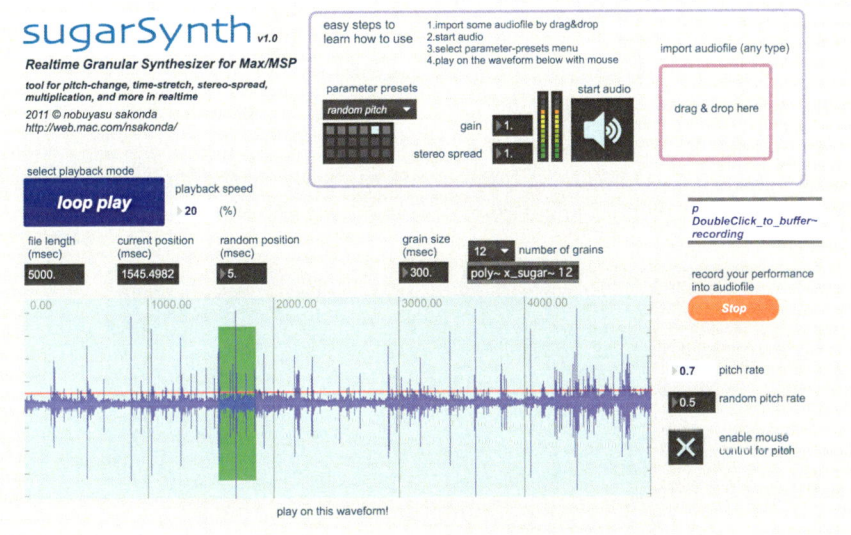

Img. 202. *Patch* principal de *sugarSynth v 1.0.*

11. Síntesis concatenativa

Si hablamos de "*mosaicing*" o resíntesis puede que estemos refiriéndonos a la síntesis concatenativa. Es posible que la síntesis de voz artificial se asocie también a este término, sin embargo, aquí la vamos a estudiar desde la óptica del comportamiento granular. Utilizando una descripción del IRCAM, al referirse a una de sus herramientas: *CataRT (Real- Time Corpus-Based Concatenative Synthesis),* este método de síntesis se describiría como la reproducción de granos a partir del análisis de un largo corpus de segmentos y descriptores extraídos de un archivo de audio, y en base a la proximidad a una posición en el espacio del descriptor.

¿Qué parámetros nos serían útiles para obtener el mapa identificativo de un archivo de audio a lo largo del tiempo? Uno de los más importantes artistas sonoros de la síntesis concatenativa, Rodrigo Constanzo, propone cuatro: Intensidad (dB), altura (Hz), *centroid* (brillo) y *SFM* (horizontalidad del espectro ruido – dB). A los dos primeros los conocemos de sobra, sin embargo, habría que hablar brevemente de los dos últimos. El término *centroid* aplicado al campo del sonido digital se refiere a la medida usada para categorizar un espectro; nos indica el centro de la masa espectral (o centro de gravedad), y por tanto estaría muy relacionado con la percepción del brillo de un sonido.

Img. 203. Índice *Centroid* de un archivo de audio.

El parámetro *SFM* (*spectral flatness measure)* o medición de horizontalidad espectral, nos indicaría la variabilidad en la conformación y disposición del espectro de un archivo de audio, y en algunos casos en combinación con el índice *SCF* (*spectral crest factors*) podría darnos un análisis de armonicidad/inarmonicidad y por tanto de consonancia/disonancia.

Como mencionábamos antes, existen varias herramientas diseñadas para estos procesos de análisis (por el IRCAM, CNMAT, etc...). El *patch* que publicó durante 2012 Rodrigo Constanzo utiliza el objeto externo *descriptorsrt~*, creado por Alex Harker. Este objeto externo ofrece 9 parámetros de análisis: energía, altura, pico de amplitud, sonoridad, *centroid*, difusión espectral, oblicuidad (inclinación o asimetría en una distribución estadística, en la cual la curva parece distorsionada o sesgada hacia la izquierda o hacia la derecha), curstosis (grado de concentración que presentan los valores de una variable analizada alrededor de la zona central de la distribución de frecuencias) y SFM o medición de horizontalidad espectral.

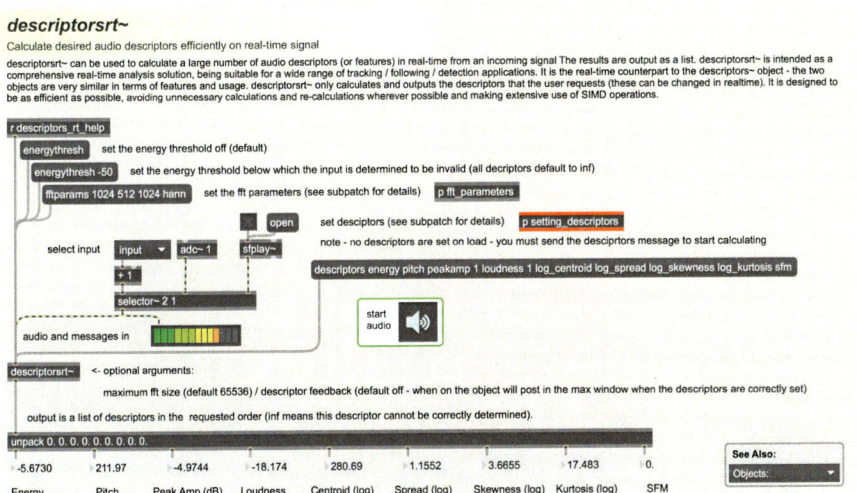

Img. 204. *External descriptorsrt~*.

En primer lugar, tomaríamos sólo aquellos parámetros que consideremos apropiados para nuestro análisis y antes de operar con ellos, elegiríamos un factor de superposición (*overlap*) y un valor de tamaño y ventanaje (*window size*), basado en la longitud del archivo cargado.

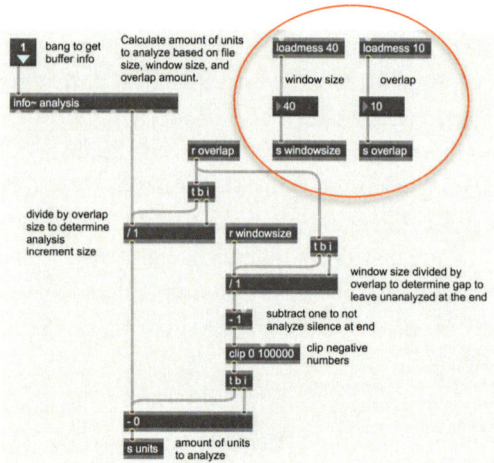

Img. 205. Cálculo de tamaño y ventanaje.

Como vemos en la imagen 206, con la recolección de datos y asignación de rangos, podemos construir el almacenamiento y visualización de estos cuatro descriptores (imagen 207).

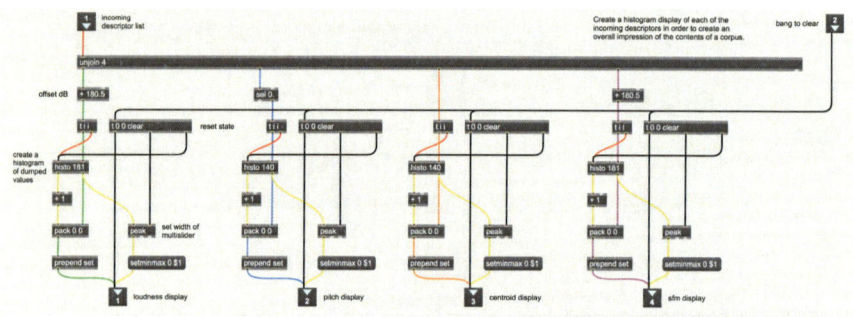

Img. 206. Visualización de datos.

Img. 207. Almacenamiento de parámetros y visualización.

Todos estos parámetros nos ofrecen una identificación previa muy precisa de nuestro archivo de audio, y con este mapa podríamos reproducir ciertos granos en base a la concatenación con otro evento, por ejemplo, una entrada de micro. Es decir, en lugar de reproducir granos basados en una posición concreta y en base a parámetros de ventanaje (*windowing*), los reproduciríamos en base a la navegación por estos descriptores y en este caso a través de un análisis en tiempo real.

La herramienta programada por Rodrigo Constazo *C-C-Combine* para síntesis concatenativa ofrece la siguiente interfaz:

Img. 208. *C-C-Combine,* por Rodrigo Constanzo.

De izquierda a derecha podemos ver los valores referentes al control de los granos, los parámetros del análisis, un control de reproducción y grabación, fuente de entrada, niveles de ganancia y balance (*dry/wet*), balance de concatenación, ganancia *master* y *setup* de audio.

El esqueleto del proceso interno lo podemos ver en la imagen 209. Numerados en el *patch* aparecen las secciones para este proceso de resíntesis: primero se crea el análisis de un archivo, después se podrían elegir dos opciones: introducir una lista de descriptores ya analizada o cargar un archivo de audio en un *buffer*. Por último, tendríamos el análisis en tiempo real, bien de la entrada de micro, bien de otro archivo de audio.

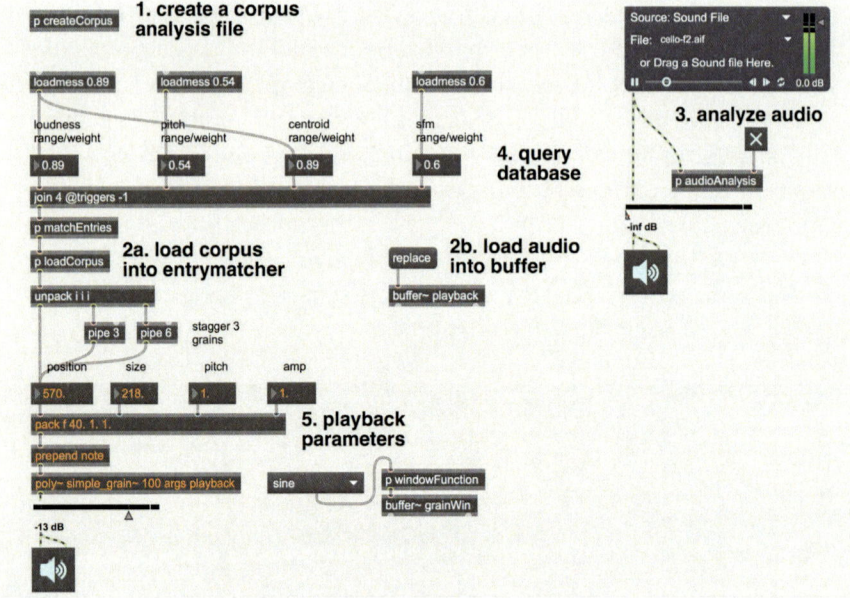

Img. 209. *Patch Concat Synthesis,* por Rodrigo Constanzo.

En color naranja tenemos la parte de reproducción granular del proceso. Como podemos comprobar en la imagen 210, el diseño del *poly~ simple_grain~* tiene un diseño muy similar a la mayoría de los procesos creados para síntesis granular.

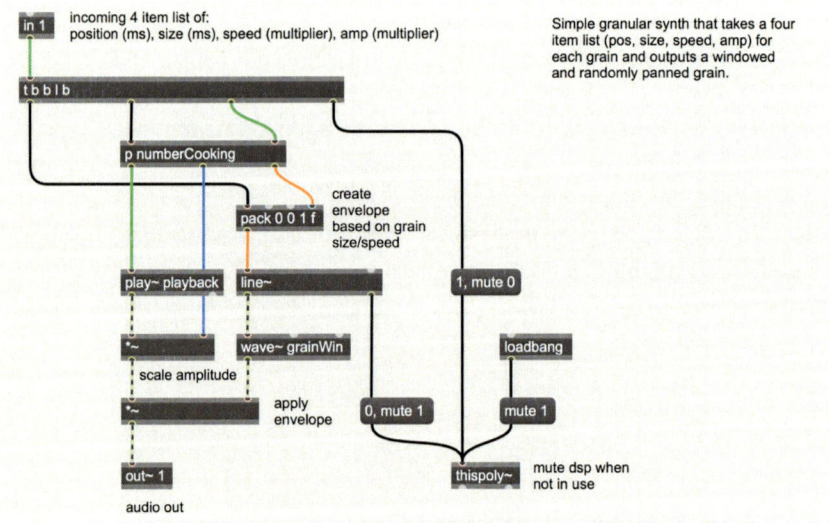

Img. 210. *Poly~ simple_grain~*, por Rodrigo Constanzo.

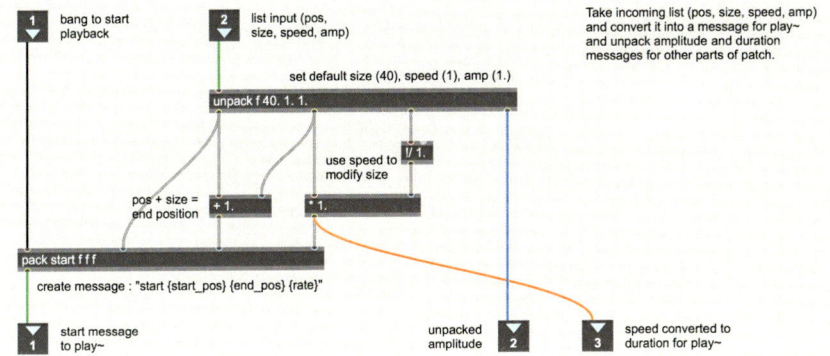

Img. 211. *Subpatch~ numberCoocking*, por Rodrigo Constanzo.

Como podemos observar, toda la gestión cruzada entre los parámetros de análisis, las opciones de reproducción y control de audio granular (tanto de entrada como su correspondencia y nivel de concatenación) requeriría algo más que un vistazo rápido a las abstracciones que hay en cada subproceso.

Como mencionamos al comienzo de este capítulo, una de las primeras herramientas programadas para el análisis de archivos de audio es el objeto *CataRT* y su extensión *MuBu,* ambos desarrollados por el IRCAM para la síntesis concatenativa. Cada pista puede representar un flujo de datos muestreado o una secuencia de eventos temporales etiquetados, tales como: muestras de audio, descriptores de audio, datos de movimiento de captura, marcadores, segmentos y eventos musicales, etc. Todo el proceso de análisis permite a posteriori reproducir el sonido eligiendo diferentes parámetros y así, navegando con el ratón sobre su interfaz, podemos controlar por ejemplo diferentes formas de reproducción.

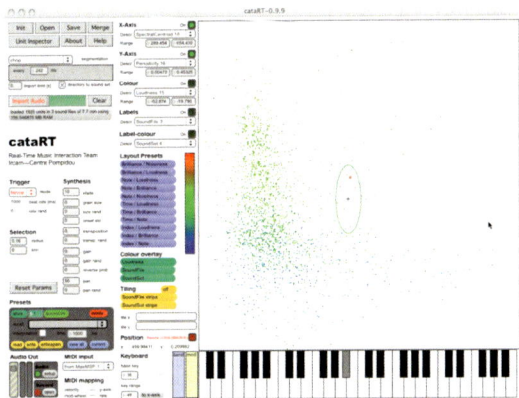

Img. 212. Interfaz de *CataRT, by* IRCAM.

12. Sistemas autogenerativos y secuenciación I

En este capítulo vamos a recurrir a varios de los recursos estudiados en secciones anteriores para construir sistemas autónomos, o aparentemente autónomos, que nos permitan generar estructuras y secuencias rítmicas, tímbricas o texturales de una manera semi-controlada, y así poder manipular sistemas autómatas de síntesis. Antes de continuar sería interesante pararnos a repasar conceptos como "aleatorio", "indeterminado" e "inteligente".

El término aleatorio (*random*) tiene un uso muy extendido en la computación y los procesos creativos asociados a la generación de sonido. A priori pensaríamos que el sistema es capaz de "inventarse" por ejemplo, una secuencia de números, sin embargo, la manera que tienen la mayoría de sistemas de definir esta aleatoriedad viene establecida según una técnica llamada *linear congruential method*. Esta consiste en la implementación de una fórmula (introducida por el matemático americano Derrick Henry Lehmer en 1948) que genera una lista limitada de números. Una vez que se agota, se repite dicha lista. Si a nuestro objeto *random* no se le especifica la variable *seed* (semilla), el lugar de comienzo vendrá dado por un valor tomado del tiempo transcurrido desde que se encendió la computadora (impredecible). Sin embargo, si colocamos dos objetos *random* con un mismo valor para el argumento *seed,* obtendremos dos listas idénticas.

0 2 3 5 2 1 4 5 2 8 4 4 6 7 2 4 4 2 1 4 8 9 1 0 4 7 0 7 4 0 2

Img. 213. Lista limitada con "semilla" en el valor 5.

Otros objetos como *decide, drunk* o *urn* nos permiten otros comportamientos *random*: *decide* nos devuelve valores aleatorios de 0 o 1; *drunk* genera valores aleatorios con un margen de salto específico entre ellos, y *urn* crea secuencias aleatorias limitadas donde ningún número se puede repetir (ideal para utilizar en sistemas seriales).

En el ámbito de la teoría de la información, la entropía, también llamada entropía de la información y entropía de Shannon (en honor a Claude E. Shannon, co-autor del teorema de Nyquist), mide la incertidumbre de una fuente de información. Tiene que ver entonces con el peso o importancia de los valores que se generan. Relacionado con la cantidad de aleatoriedad y en términos de composición musical, podríamos decir que es aleatorio cuando el compositor delega en los intérpretes parte de la responsabilidad en la creación;

por lo tanto, la obra no sería aleatoria en sus componentes o formantes, bien definidos inclusive, sino en la ordenación de éstos, pudiendo el intérprete elegir distintos itinerarios en cada interpretación. Karlheinz Stockhausen fue uno de los primeros compositores europeos en utilizar la música aleatoria. Su obra *Klavierstrück XI* (1957), para piano solo, está estructurada en 19 fragmentos que se pueden ejecutar en el orden que el intérprete estime oportuno, incluso omitiendo o repitiendo alguno.

Img. 214. 6 de los 36 patrones rítmicos posibles de la matriz final, *Klavierstuck XI*, K. Stockhausen, por Stephen Truelove.

Sin embargo, cuando la aleatoriedad en la ejecución se combina con la aleatoriedad en la composición o viceversa, es decir, cuando la aleatoriedad es absoluta, se produce la indeterminación, abandonándose toda opción de control sobre la obra, por parte del compositor, ejecutante y oyente. Cada cual decide aceptar lo que ocurre sin tener en cuenta sus propias preferencias en cuanto a qué debiera ocurrir. John Cage fue el pionero de este tipo de filosofía musical, heredera de la filosofía budista. Ejemplos de ello son sus obras *Construction* (de 1939 a 1941), donde utiliza instrumentos no convencionales, su obra *Living Room Music* (1940), para percusión y cuarteto vocal, en la que las partes de la percusión han de ser interpretadas con cualquier objeto o elemento arquitectónico de una habitación (paredes, puertas, mesas, libros, etc.), o los cinco *Imaginary Landscapes* (del 1939 a 1952), con distintos recursos de la música concreta y electrónica.

Img. 215. Inicio de *Imaginary Landscape* I (1939), J. Cage, para grabaciones de frecuencia constante y variable, gran plato chino y piano, para ser interpretado en una estación de radio.

Por último, hablaremos brevemente del término "inteligente". A menudo se utiliza la Inteligencia artificial como sustituto de meros sistemas algorítmicos complejos. Sin embargo, en ciencias de la computación, una máquina "inteligente" ideal es un agente racional flexible que percibe su entorno y lleva a cabo acciones que maximizan sus posibilidades de éxito en algún objetivo o tarea. El término Inteligencia artificial fue acuñada en 1956 por el informático John McCarthy. Para el científico Nils John Nilsson, fundador de esta disciplina, el término Inteligencia artificial se aplica cuando una máquina imita las funciones "cognitivas" que los humanos asocian con otras mentes humanas como, por ejemplo: "aprender" y "resolver problemas". Esta es quizás la más importante y controvertida parte de la inteligencia: el aprendizaje. En muchas ocasiones el campo de actuación del aprendizaje automático (*machine learning*) se solapa con el de la estadística computacional, ya que las dos disciplinas se basan en el análisis de datos. Es en este punto cuando entramos en contacto con los planteamientos algorítmicos que se pueden implementar en un programa como Max MSP. Si repasamos el capítulo de síntesis concatenativa tenemos una gran parte del proceso que analiza los identificadores de un archivo de audio para luego asociarlos (con más o menos índice de aleatoriedad) a otros eventos sonoros o temporales.

Para preparar el terreno a nuestros ejemplos dedicados a la generación semi-controlada de autómatas complejos con procesos de síntesis, vamos a comenzar conociendo las posibilidades que nos ofrece Max MSP para gestionar la secuenciación y autogeneración de eventos.

1

Empezaremos construyendo un simple secuenciador MIDI de pasos (*step sequencer)*, cuyas alturas, intensidades y sonidos serán creados de manera *random*. Para ello vamos a usar el objeto *table* (en verde), que nos permite definir diferentes valores en dos ejes (x, y). Mediante la implementación de los objetos *metro* y *counter*, vamos lanzando cada uno de estos valores al objeto *makenote*, que necesita definir altura e intensidad. Para estos dos parámetros vamos a generar y refrescar cada 16 pasos una lista de 16 números diferentes. Mediante el objeto *uzi*, lanzaremos 16 *bangs* al mismo tiempo, y pasando por la expresión *random*, fabricaremos una lista de 16 números diferentes con un rango específico. Para renovar esta lista enviaremos un *bang* en el paso 15 (los valores van de 0 a 15). Para activar/desactivar los módulos generadores de altura, intensidad, duración e instrumento (en morado), hemos interpuesto el objeto *gate*, y con la ayuda de un *toogle* gestionamos el flujo de salida de los datos.

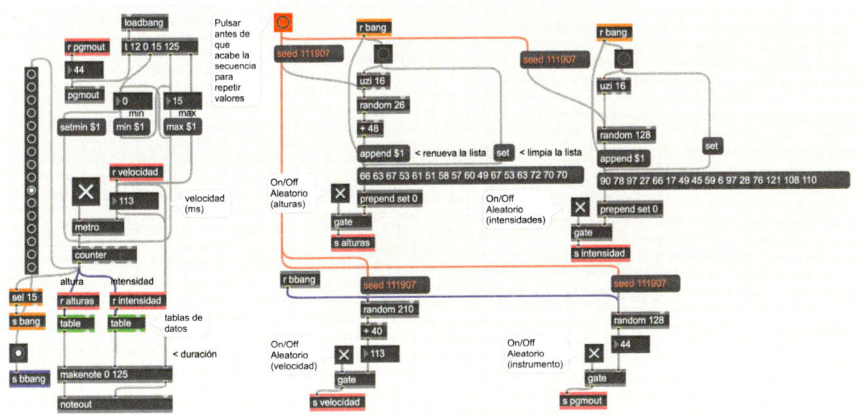

Img. 216. *Patch* Automatas1.

Si hacemos doble clic en los objetos *table* podremos ver los valores que se van creando. Aunque no estamos realizando ningún tipo de síntesis nos vendrá bien como inicio en el aprendizaje de secuenciadores y autómatas.

__2

A propósito de los objetos *gate* que hemos utilizado anecdóticamente en el ejemplo anterior, podemos hacer un uso extensivo de ellos para construir un secuenciador simple. Activando o desactivando cada *toogle* dejamos pasar el *bang* correspondiente al objeto *t* (*trigger*), que se encargará de disparar una nota de ejemplo (altura MIDI 45) al *makenote*.

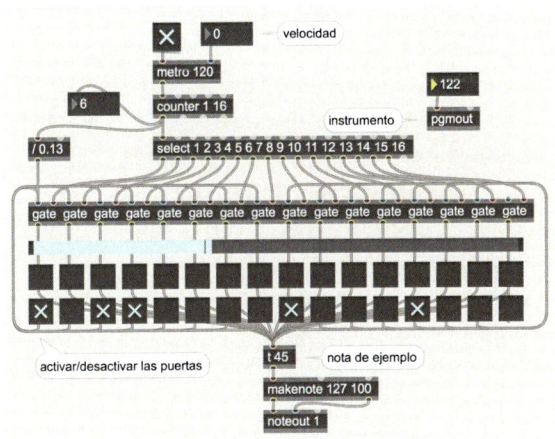

Img. 217. *Patch* Automata2.

3

En el siguiente ejemplo vamos a implementar un control gráfico para activar/desactivar eventos de un modo algo más optimizado y gráfico. Utilizaremos el objeto/interfaz *matrixctrl*, mediante el cual y desempaquetando la información de sus columnas (con el mensaje ante-puesto *getcolumn*) enviaremos los respectivos *bangs* (previo filtrado a través del objeto *sel 1*) a los tres objetos *gate*, que tienen establecidas 8 salidas. Los *bangs* seleccionados van a salir por la salida oportuna gracias al *counter,* que se va a encargar de llevar la cuenta de las columnas.

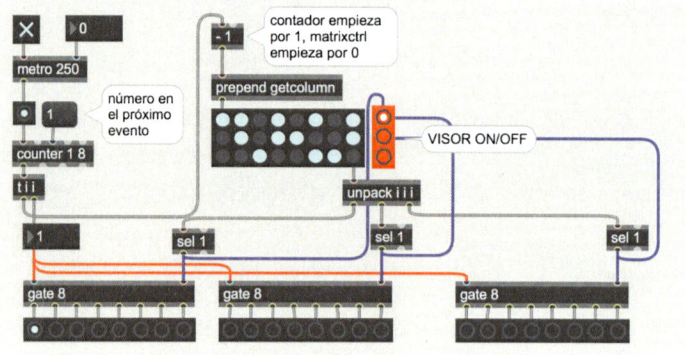

Img. 218. *Patch* Automata3.

4

En un nivel mayor de complejidad, vamos a utilizar la gestión de listas. Una vez más, generaremos puntos activos e inactivos mediante el uso del objeto/interfaz *matrixctrl*. Con la ayuda del objeto *gate*, que permite desviar los valores que le entran por la entrada derecha a una de sus dos salidas, enviamos mediante la combinación adecuada del objeto *t* (*trigger*), los valores de las dos listas al objeto *zl reg* (que permite almacenar los valores de una lista). Mediante *bangs* (cable azul), irá devolviendo el estado de cada fila (1-**1**, 2-**1**, 3-**0**, 4-**0**, etc.) al objeto *zl nth*, que disparará los 0 los 1 en función del orden (la cuenta de posiciones la lleva el *counter* – cable rojo). Ya que sólo necesitamos el estado 1 para activar la nota en cuestión; interpondremos el objeto *sel 1* (abreviatura de *selector*) para activar los últimos *bangs,* que pondrán en marcha los dos últimos *triggers* (*t 54, t 74*).

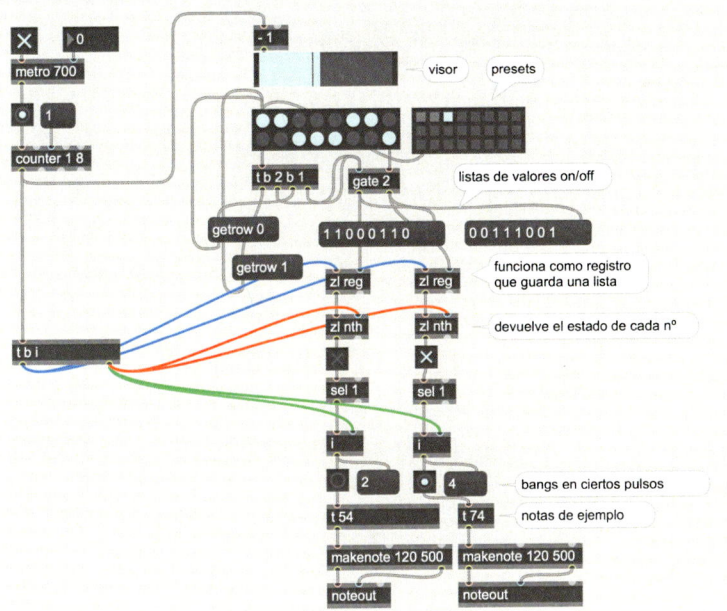

Img. 219. *Patch* Automata4.

El objeto *i* (*integer*) solo se ha incluido para mostrarnos la cuenta de las posiciones en una caja mensaje.

5

En el siguiente ejemplo vamos a volver a operar con listas. En este caso extraeremos los valores (cable rojo) de cada fila (salida izquierda del objeto *zl nth 2*) y cada columna con su valor (salida derecha del zl *nth 2*) para enviarlos a tres objetos *coll*, que serán los contenedores de la información. Para elegir en cual vamos a guardar la información gestionamos una puerta (*gate 3*) de modo que el valor de cada fila (cable azul) será la que haga de interruptor para rutear la información de columna y valor. Después, mediante la lectura de los valores de dichos *rows* vamos extrayendo los oportunos *bangs* que devolverán los tres selectores (*sel 1*) cuando detecten celdas activadas.

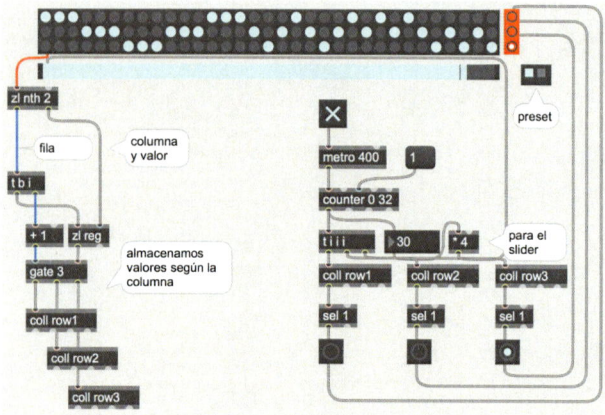

Img. 220. *Patch* Automata5.

6

En el siguiente ejemplo vamos a construir un secuenciador con la ayuda del objeto/interfaz *live.grid*. Este objeto nos devuelve por su salida izquierda los ítems que están activados, y con la ayuda de un *counter* podemos ir haciendo una lectura de sus columnas. Como vemos, podemos configurarlo para que tenga una subdivisión rítmica concreta. En este caso hemos definido cuatro compases de 4 partes (16 columnas).

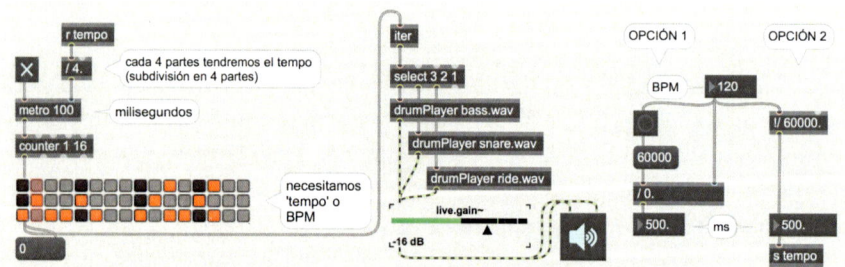

Img. 221. *Patch* Automata6.

Gracias al objeto *iter,* que separa los mensajes individuales de una lista, podemos ir activando correspondientemente los 3 reproductores de audio. Para ello, hemos creado una abstracción que contiene un reproductor simple (imagen 222) con un *sfplay~*. Las abstracciones nos permiten definir un argumento, que en este caso es el nombre de la pista que va a leer el *sfplay~*. Para ello es conveniente establecer un mensaje *open #1*, ya que, de este modo, cada *patcher* adjudicará al abrir el *patch* (gracias al *loadbang*) el nombre del archivo que tiene asignado.

(Al abrir el *patch...*)

Img. 222. *Patcher drumPlayer.*

La utilización del signo # acompañado de un símbolo sirve por tanto como identificador único para cada *subpatch* o abstracción, cuando se abre el *patch* principal. Esto nos sirve para tener varias copias de un *patcher* que contenga por ejemplo objetos como *send* o *receive,* sin que se produzcan interferencias entre sus copias, evitando así la necesidad de tener múltiples versiones del mismo *patcher* para operar de modo diferente con cada uno.

Como vemos en la imagen 223, y dado que nuestro secuenciador tiene "compases" de 4 partes, debemos calcular la velocidad del *metro* (expresado en milisegundos) a partir de valores de *tempo* o *BPM* (*beats per minute*). Para ello solo debemos dividir 60000 entre el valor en *BPM* (imagen 223). Después haremos la subdivisión entre 4 para determinar la velocidad de cada parte del compás.

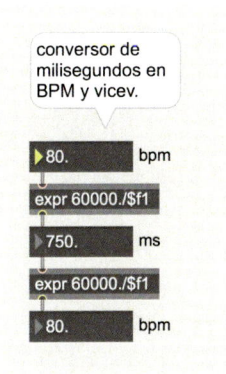

Img. 223. *Patch bpm-ms.*

En el siguiente ejemplo vamos a capturar el movimiento que pudiéramos realizar con nuestro ratón en el objeto/interfaz *pictslider*, de modo que después podamos leer este movimiento para cualquier propósito; por ejemplo, una espacialización concreta.

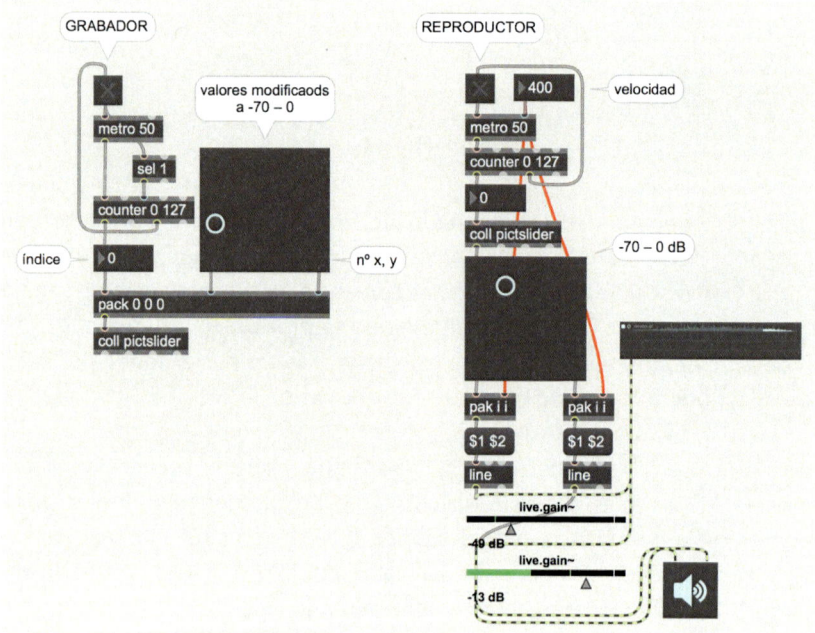

Img. 224. *Patch* Automata7.

Como vemos en la imagen 224, mediante el empaquetado de un índice (proveído por el objeto *counter*) junto con los valores de posición (x, y), podemos almacenar una lista de posiciones en el objeto *coll*. Después, mediante la lectura de sus valores, podremos extraer las posiciones para utilizarlas a posteriori. Para evitar saltos (ya que podríamos establecer una velocidad del *metro* reproductor más alta que la que hemos utilizado para grabar), utilizaremos el objeto *line* (precedido del empaquetador *pak*) para determinar las dimensiones del grano ($2, duración hasta el próximo valor, cable rojo); de este modo estaríamos dando la orden: "ve a *n* valor en *v* tiempo (velocidad del *metro*)". Si necesitáramos más tiempo para grabar un movimiento sólo tendríamos que ampliar el segundo valor del *counter*.

8

Aprovechando las posibilidades del objeto *pictslider*, podríamos fabricar un panoramizador cuadrafónico para controlar la difusión de una señal a través de 4 canales diferentes. Como vemos en la imagen 225, solo tendremos que ajustar y coordinar correctamente (mediante sumas y multiplicaciones) los escaladores de valores que salen del *pictslider* a los objetos *live.gain~*.

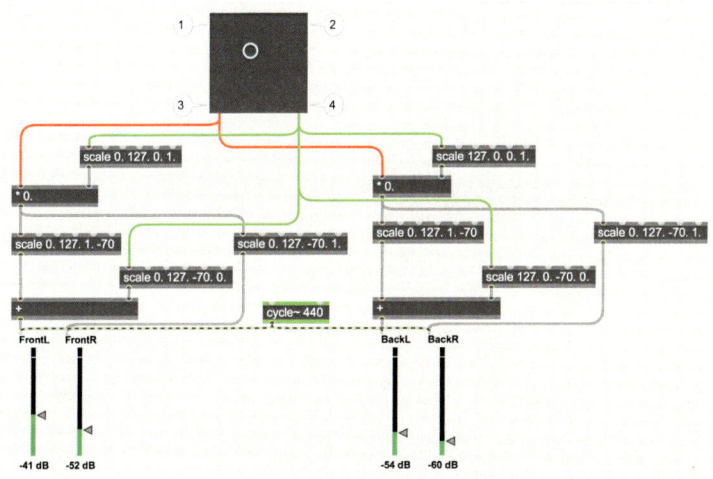

Img. 225. *Patch* CuadraPan.

Con la incorporación de los elementos que vimos en el ejemplo 7 podríamos almacenar varias trayectorias y de este modo poder espacializar la difusión de un sonido cualquiera por un sistema multicanal.

9

En una última filigrana autogenerativa, vamos a crear un sistema que dibuje valores *random* en un *multislider*, a modo de visualización de puntos con desplazamiento automático, y con rangos definibles y acotables.

Para ello vamos a usar varios objetos *scale,* en este caso, uno subordinado a otros dos. Determinaremos los rangos en los que se van a mover los números, tanto para el rango global (en rojo, de 0 a 1000) como para los rangos máximos y mínimos del escalado (en azul, de 0 a 100). Para una correcta visualización tendremos que definir bien algunos parámetros en el inspector del *multistlider*: *slider style: point scroll* y *range: 0-100*.

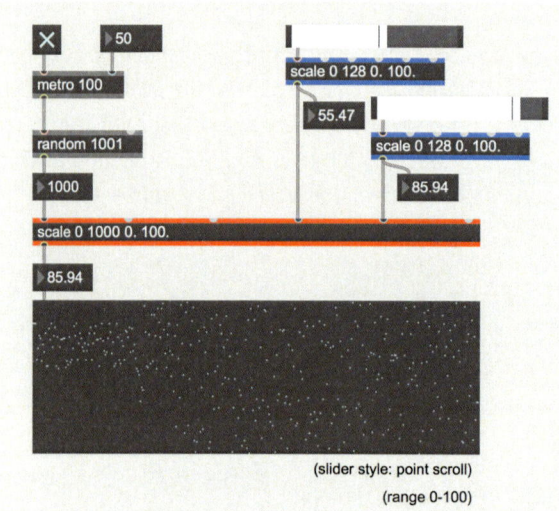

Img. 226. *Putch* Automata8.

Podríamos hacer uso de este recurso aleatorio en una manipulación espectral, por ejemplo, similar a la que vimos en el ejemplo 8, capítulo 7.

10

Como vimos en el ejemplo 7 del capítulo 9, uno de los objetos más versátiles diseñados en Max MSP es *live.step*. Desde que Cycling '74 fuera absorbida en 2017 por Ableton, se han creado multitud de objetos y recursos transversales a las dos plataformas. Desde el lado de Max MSP, se han ido optimizado mucho las interfaces de uso y visualización de los objetos, y desde Ableton, los motores de procesamiento de señal han visto crecer exponencialmente su abanico de posibilidades y personalización.

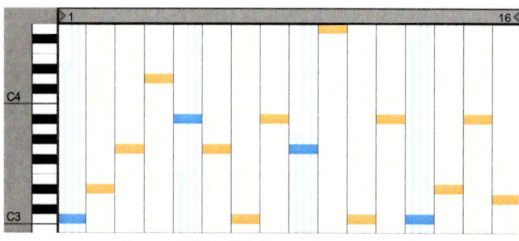

Img. 227. Objeto *live.step*.

Este objeto ofrece multitud de posibilidades en el ámbito de la secuenciación: contador de eventos, definición de altura, intensidad, duración y dos valores extra para automatizar y controlar otros parámetros (filtros, distorsión, *reverb.*, etc..); también ofrece manipulación *random*, visualización personalizada y un largo etcétera de posibilidades de control. Podemos conectar esta potente herramienta de secuenciación a cualquiera de nuestros recursos de síntesis para controlar el comportamiento de sus parámetros en el tiempo.

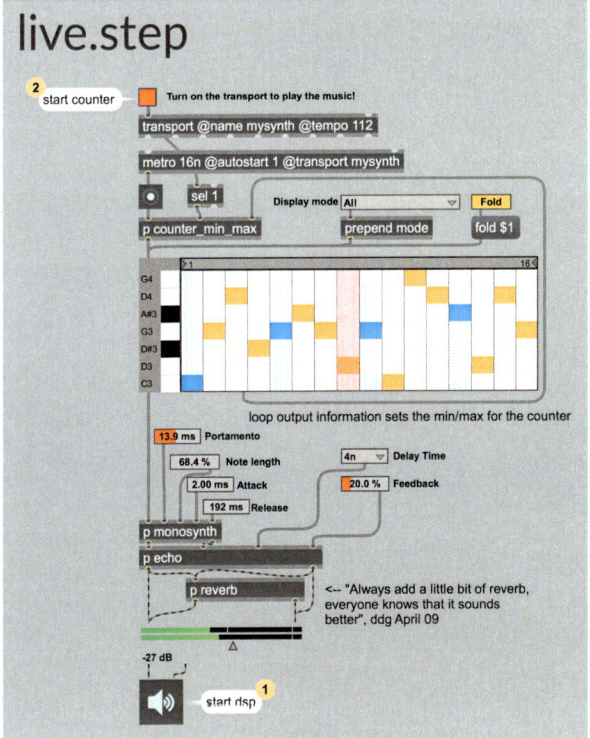

Img. 228. *Help* de *live.step*.

13. Sistemas autogenerativos y secuenciación II

Todos los procesos de síntesis que hemos estudiado han sido utilizados de una manera más o menos compleja por diferentes estilos de música electrónica comercial: *Techno, House, Glitch, Electro, Ambient* y la conocida como *Intelligent dance music* o IDM. Este género ha sido uno de los más prolíficos en la exploración de métodos de síntesis. El dúo británico formado por Rob Brown y Sean Booth, más conocido como Autechre, ha sido uno de los más audaces en el uso y diseño de sistemas de síntesis mediante Max MSP. Sus sonidos originales, producidos por sintetizadores como el Roland TR-606, MC-202, North Lead, etc., fueron progresivamente eliminados **de su entorno natural** y sustituidos por sistemas de síntesis diseñados en complejos *patches* de Max MSP, pasando a ser parte indispensable en la producción de su música durante los últimos años.

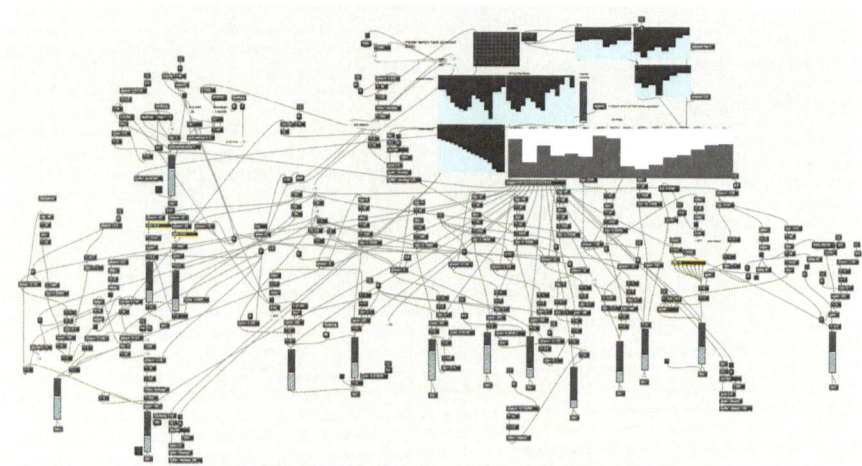

Img. 229. *Patch* atribuido a Autechre; extraído de https://cycling74.com/forums/autechre-patch/.

En los siguientes ejemplos vamos a revisitar alguno de los procesos de síntesis vistos anteriormente, todo desde la óptica de la producción de sistemas más o menos autómatas y organizados como secuenciadores de texturas electrónicas orgánicas al estilo de Autechre[4]. Los ejemplos estudiados en el capítulo anterior pueden servir como motores de audio complementarios a estos ejemplos.

---

[4] Información y ejemplos de audio en https://autechre.bleepstores.com.

1

En primer lugar, y si vamos a gestionar un "disparador" maestro de eventos, debemos diseñar un gestor temporal. Tenemos dos opciones: hacerlo mediante objetos que operan en el dominio de la señal de control o mediante objetos que operan en el dominio de la señal de audio. La diferencia puede ser insignificante, pero en *patches* complejos y cargados de eventos en sincronía puede marcar una diferencia de precisión y rendimiento.

Si nos decantamos por la opción más precisa, usaremos objetos de señal de audio. En la imagen 230 vemos el encadenamiento de los objetos *phasor~*, *delta~*, *<~*, *edge~* y *gswitch2*. El funcionamiento es el siguiente: *phasor~* nunca llega ni a 0 ni a 1 absoluto (siempre interpola desde 0 a 1 sin pasar por los nodos), es por esto que utilizamos el objeto *delta~*, que devuelve una señal que representa la diferencia entre *samples*; lo utilizamos por tanto para extraer el cambio en la rampa del *phasor~* (cuando baja de 1 aprox. a 0 aprox.). Entonces, y ya que este salto es menor que 0, lo pasamos por el objeto *<~ 0.*, que devuelve 1 si esta condición ocurre (también podríamos poner *<~ 0.25*, *<~ 0.5*, *<~ -0.5*, etc.). Por

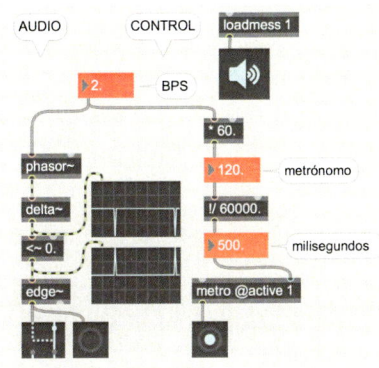

Img. 230. *Patch* Automata9

último, el objeto *edge~* detecta transiciones desde 0 a cualquier valor, o hacia 0 desde cualquier valor, devolviendo un *bang* por la salida izquierda o derecha respectivamente.

Por otro lado, si optamos por la opción de señal de control, utilizaremos el omnipresente objeto *metro*, acomodando su valor temporal al cálculo de pulsos por segundo (*BPS*) o al valor métrico de un metrónomo.

Como podemos apreciar, la sincronía entre ambos métodos no es perfecta. Sin embargo, tenemos una opción bajo el dominio del objeto *transport,* que nos permite utilizar el objeto *phasor~* y sincronizar su comportamiento con la señal de control del objeto *metro:* añadiremos el argumento *@lock 1* al objeto *phasor~* y activaremos las opciones *Scheduler in overdride* y *Audio interrupt* en la ventana *Audio status.* De este modo y como podemos comprobar en el ejemplo Automata10, tendremos una sincronía perfecta entre señal de audio y control.

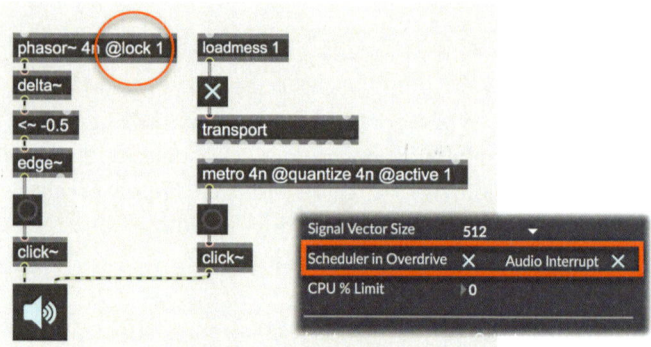

Img. 231. *Patch* Automata10

_2_

En el siguiente ejemplo vamos a recuperar la síntesis FM y su objeto correspondiente *simpleFM~* para diseñar el sonido de un bajo eléctrico con sutiles cambios de timbre y de una manera muy sencilla.

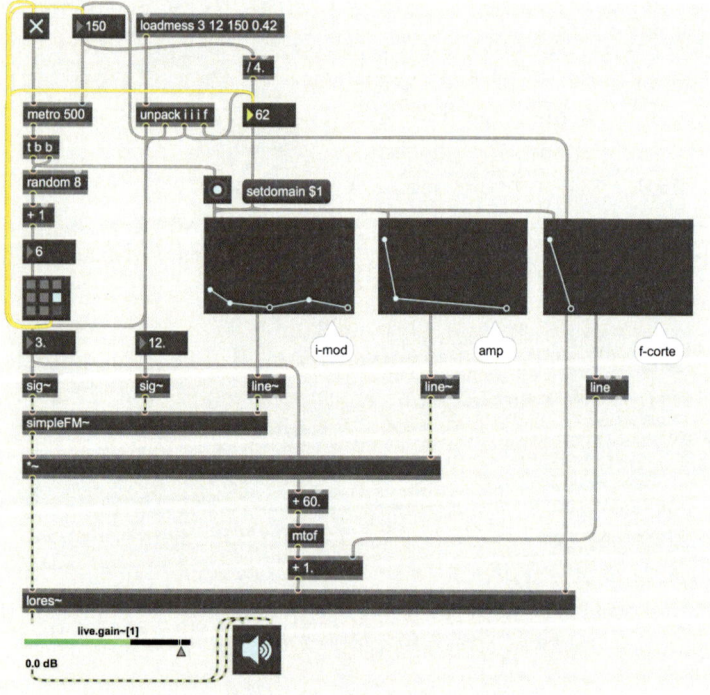

Img. 232. *Patch* Automata11

Se han diseñado 8 memorias con definiciones diferentes de frecuencias (portadora y moduladora), índices de modulación, amplitudes y frecuencias de corte para un filtro resonante (*lores~*). Como vemos, el valor temporal es justo la cuarta parte del tiempo asignado al *metro*, valor que podría modificarse para definir el tipo de envolvente que deseemos.

Si definimos los *presets* con el *patch* ya construido tendremos que tener la precaución de conectar algunos objetos a la tercera salida del objeto *preset*, ya que, de otro modo, memorizaremos el estado de estos objetos y estaremos luchando para siempre contra un *toogle* que "quiere estar apagado" en el *preset* x, por ejemplo (cables amarillos).

__3

En el siguiente ejemplo tendremos de nuevo un sonido grave, pero de una manera algo más sofisticada. En este caso vamos a operar con los valores que devuelve un *phasor~* y modular con ellos la frecuencia de una simple sinusoide.

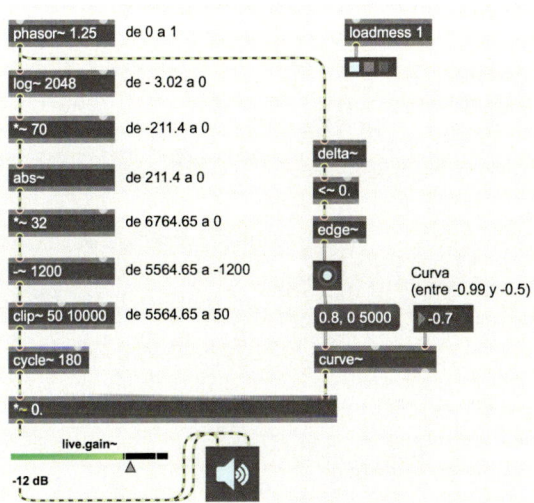

Img. 233. *Patch* Automata12

Como vemos en la imagen 233, estamos produciendo un barrido de frecuencias logarítmico de 5564,65 a 50 Hz. mediante varios cálculos matemáticos en cadena. La amplitud está sincronizada con los valores que genera el objeto *phasor~* (del mismo modo que vimos en el ejemplo 1), pero esta vez se define a través de una envolvente exponencial. En función del índice de curva que asignamos al objeto *curve~* tendremos resultados muy diferentes (dada la duración que hemos incluido en la caja de mensaje (0.8, 0 **5000**).

_4

En el siguiente ejemplo vamos a construir una suerte de gorgoteo sintético con la ayuda del objeto *adsr~* y el objeto *cycle~*. En primer lugar, en color amarillo tenemos los objetos que hacen de lanzador de eventos (1, *on* y 0, *off*). El objeto *counter* pasa por los números 1 al 64 y el objeto *sel* selecciona el 25, el 45 y el 53. Cada uno de ellos activa (1, *on*) el *metro,* y después de 1000 ms, 187.5 ms y 53 ms. y con la ayuda del objeto *pipe*, se disparan los respectivos 0 (*off*) para desactivar momentáneamente el *metro*.

Por otro lado, y para el motor de audio, estamos operando con los valores de ganancia que proporciona el generador de envolvente *adsr~* (color rojo), multiplicando el valor de ganancia por 15000, de este modo y al sumarlos al valor MIDI 92 (1661,21 Hz.) obtenemos una rampa de 16.661,21 a 1.661,21 Hz. cada vez que se activa el *adsr~*. Por último, tenemos otro generador de envolvente que controla la amplitud de salida al DAC (color verde). Todo el sistema está gestionado por el objeto metro bajo el dominio del objeto *transport,* que debe estar activado.

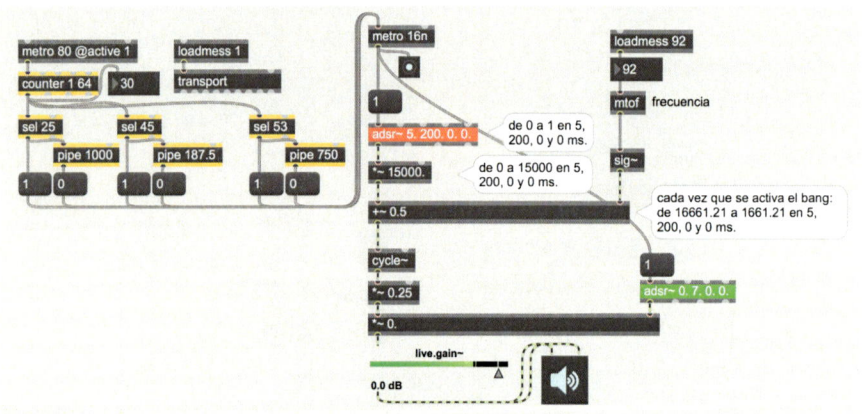

Img. 234. *Patch* Automata13

_5

Con la ayuda del objeto *index~*, que puede leer de un *buffer* (y que previamente se ha escrito a través del objeto *peek~*), podemos disparar valores concretos mediante un *phasor~*. Como vemos en la imagen 235, el *index~ freq* está recibiendo valores del 0 al 16 (gracias a la multiplicación * 16.), y cada uno de ellos devolverá los valores dibujados en el *buffer freq* (16 *sliders* con un rango de 0 a 500). Después de algunos cálculos matemáticos tendremos una frecuencia cambiante del *phasor~* amarillo izquierdo, que después de recorrer una nueva cadena de cálculos, devolverá valores logarítmicos al oscilador final (*cycle~*, en color azul). Antes de enviarlo al DAC lo modulamos también con la ayuda de varios *phasor~* y un *cycle~* (en color gris), esta vez a frecuencias diferentes al maestro (en color morado). Al final, utilizamos otro índice, *index~ amp* (en color rojo), que también guarda 16 valores de intensidad pintados en un *multislider*, y del cual va a leer el último *phasor~* (Modulador 3). Si queremos resetear el patrón, podremos hacerlo presionando la barra espaciadora de nuestro teclado.

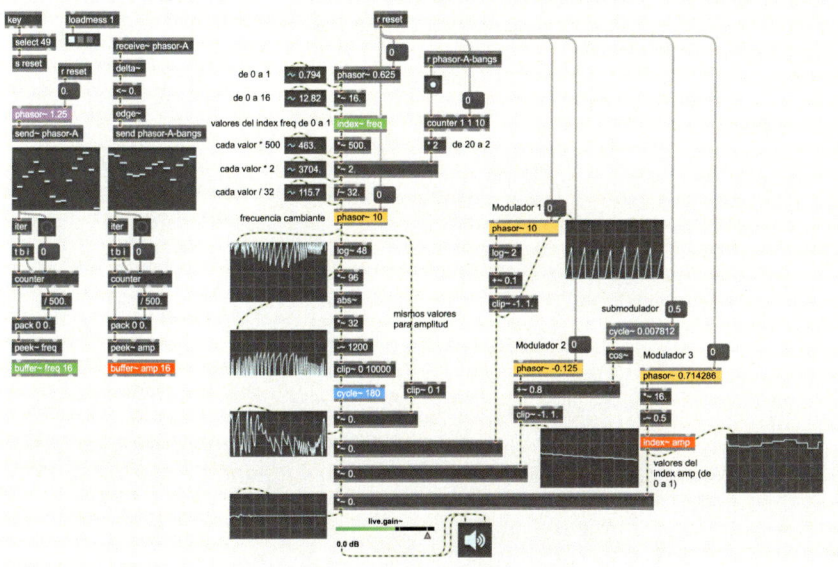

Img. 235. *Patch* Automata14

Como podemos apreciar, el patrón rítmico y textural que se obtiene no corresponde a un diseño temporal concreto, dada la independencia de las frecuencias que tienen los diferentes osciladores.

6

A continuación, vamos a diseñar el ruido que producen las motas de polvo y las imperfecciones de una aguja leyendo un disco de vinilo, sonido muy recurrente en las producciones electrónicas para simular un resultado *vintage*.

En primer lugar, hemos utilizado el objeto *noise~* como motor de audio, sin embargo, sólo vamos a dejar pasar aquellos valores que sean mayores de 0.997. Una vez filtrado el comportamiento errático del objeto *noise~*, lo hacemos pasar por un filtro *biquad~* en modo *band-pass*. La frecuencia de corte del filtro y el factor Q se van a generar también de manera aleatoria (entre 8000 y 11000 Hz.

para la frecuencia entre 0 y 3.33 para el factor Q), ambos gracias al tempo del *metro*. Una vez tenemos filtrado el ruido lo vamos a multiplicar por una envolvente (con una duración total de 65.05 ms.), que se activará cada 40 ms. y se desactivará justo al doble de tiempo de la duración de la envolvente (*pipe 130.1*). Este asincronismo entre la duración total de la envolvente y el tempo del *metro* producirá esta textura irregular pretendida.

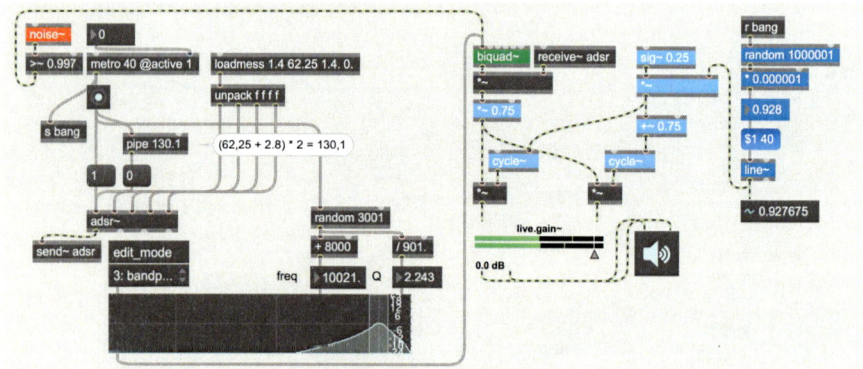

Img. 236. *Patch* Automata15

Como vemos en la parte derecha de la imagen 236, en color azul tenemos el módulo que se encarga de panoramizar también de una manera aleatoria el sonido resultante (mismo método explicado en el ejemplo 2 del capítulo de Síntesis granular, imagen 192).

_7

En el siguiente ejemplo hemos diseñado el sonido que produce un teléfono mientras emite un tono de espera.

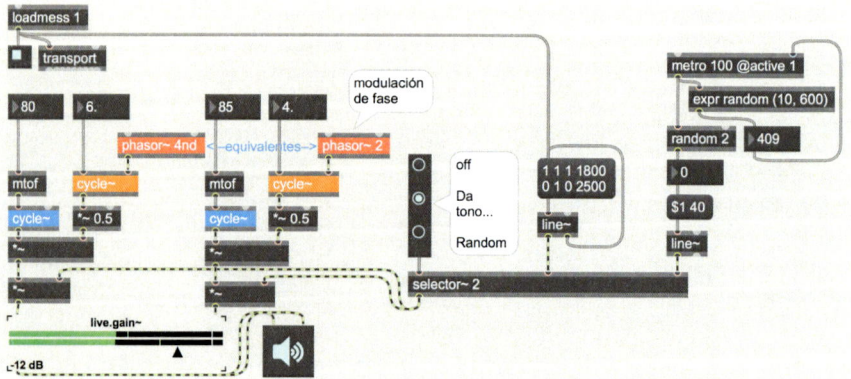

Img. 237. *Patch* Automata16

Hemos utilizado la modulación de amplitud y de fase; como vemos, los osciladores de color azul están siendo modulados en amplitud, y estos a su vez están siendo modulados en fase por dos *phasor~* (color rojo). Con esto y con la diferencia de frecuencias asignadas a los osciladores conseguimos este particular sonido.

_8

En el siguiente ejemplo vamos a retomar uno de los recursos más emblemáticos de la síntesis analógica: el proceso de *sample & hold*. En este caso vamos a usar el objeto homólogo *sah~*, que nos va a permitir generar patrones melódicos y rítmicos a partir de cualquier fuente sonora. El funcionamiento es sencillo: pensemos en una puerta que se abre cada vez que nuestro *phasor~* derecho rebasa el valor de 0.5 y se cierra cuando es inferior a dicho valor. La frecuencia del *phasor~* derecho será por tanto la velocidad de apertura y cierre de nuestra puerta. Por otro lado, la entrada izquierda es la que proporciona los valores que van a salir por la salida del objeto. En este punto vemos como, a través de unas simples sumas y multiplicaciones, podemos convertir dichos valores (aleatorios o provenientes de otra fuente) en rangos acotados alrededor de una frecuencia (objetos verde y rojo), que será muy útil si usamos, por ejemplo, una señal bipolar (sinusoidal).

Si colocamos frecuencias iguales en la fuente y en la puerta obtendremos un movimiento nulo, ya que ambos objetos irán sincronizados.

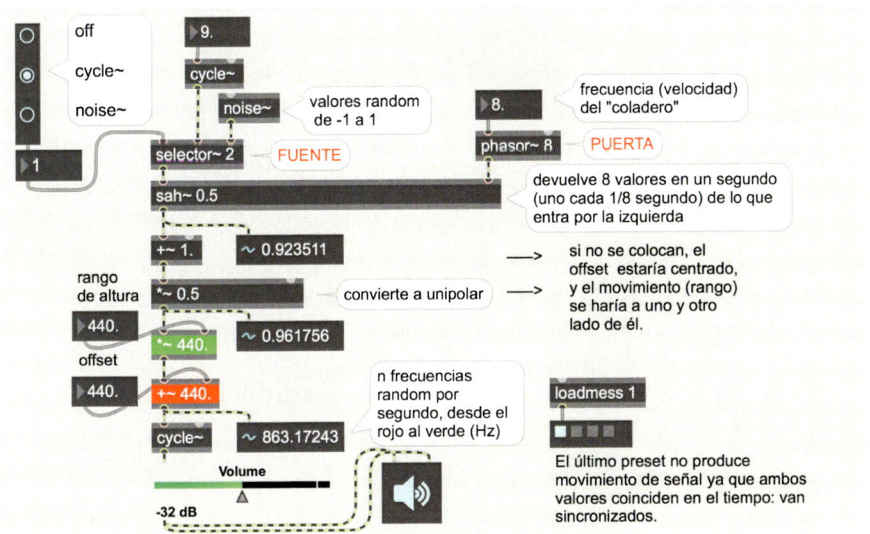

Img. 238. *Patch* Automata17

_9

Para terminar, vamos a llevar nuestro peculiar sonido de teléfono un nivel más allá. En primer lugar, generaremos un contador de 64 pasos con la ayuda del objeto *transport* y sus correspondientes parámetros de tiempo. Por otro lado, crearemos 3 sistemas *random*; en el primero se lanzarán 3 frecuencias en valores MIDI: 112, 124 y 64, contenidas en un *coll* (*subpatch* "p 3freq-random"). Estos sonidos se sumarán a su misma copia, pero degradada (en *sample rate* y *bit depth*) al pasar por el objeto *degrade~* (objetos de color morado). Las envolventes dinámicas de ambos canales vienen establecidas con valores de *adsr* preestablecidos, sin embargo, el disparo de dichas envolventes y el tiempo de *sustain* también están siendo definidos de manera aleatoria (*subpatch* "p random0-1b" y "*p random0-1*" respectivamente).

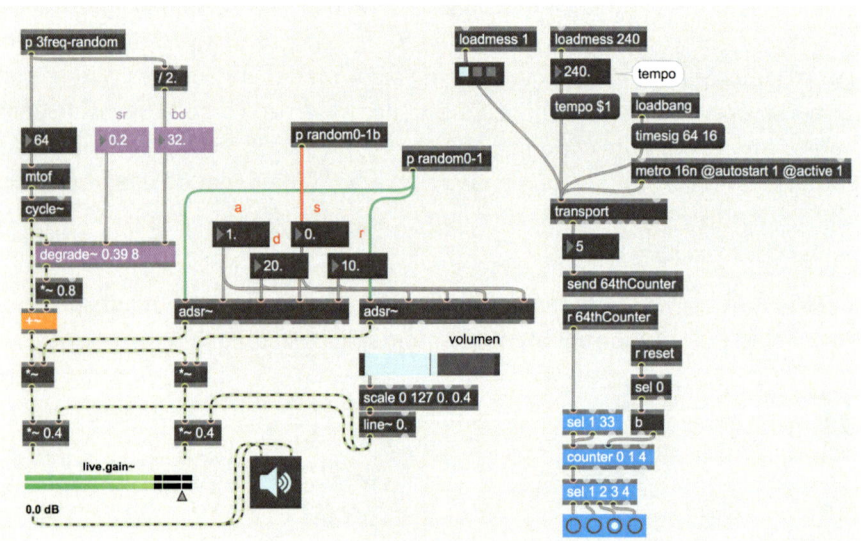

Img. 239. *Patch* Automata18

Por último, y en caso de que quisiéramos que el contador original se fraccionara en 4 partes, y así poder lanzar otros eventos relacionados, se ha añadido otro contador que acciona 4 *bangs* diferentes cada 33 pasos (objetos de color azul).

A partir de aquí te toca a ti; con todo lo visto podrás diseñar toda suerte de destrezas sonoras ;)

Carlos D. Perales
Valencia, abril de 2018.

Glosario de objetos

Bibliografía

- Basso, G. 2001. "Análisis Espectral, La trasformada de Fourier en la Música", Ed. Al Margen, La Plata, Buenos Aires, Argentina.

- Cádiz, R. 2008. "Introducción a la música computacional". Publicación electrónica auspiciada por la Pontificia Universidad Católica de Chile, Chile.

- Cipriani, A & Giri, M. 2010. "Electronic Music and Sound Design 1 – Max 7". ConTempoNet s.a.s., Rome, Italy.

- Colasanto, F. 2010. "Max MSP: Guía de programación para artistas.". Centro Mexicano para la Música y las Artes Sonoras. www.cmmas.org. Morelia, México.

- De Poli, G. 1983. "A tutorial on digital sound synthesis techniques." Computer Music Journal 7:4. Reimpreso en: The Music Machine, MIT Press. Cambridge, Massachusetts, USA.

- Dodge, Ch. & Jerse, Th. A. 1997. "Computer Music: Synthesis, Composition, and Performance". Schirmer Books, 2ª ed. New York, USA.

- Elsea, P. 2013. "The Art and Technique of Electroacoustic Music (Computer Music and Digital Audio Series, Vol. 26). A-R Editions. Middleton, Wisconsin, USA.

- Jiménez, G. 2012, "Diseño de filtros con Max MSP", en Puntos de Escucha, Actas del Congreso en el XIX Festival Internacional de Música Electroacústica Punto de Encuentro y del 25 aniversario de la AMEE. Valencia (España).

- Moore, R. 1990. "Elements of Computer Music", Prentice Hall, Inc. Upper Saddle River, New Jersey, USA.

- Núñez, A. 1992. "Informática y electrónica musical". Ed. Paraninfo. Madrid, España.

- Roads, C. 1996. "The Computer Music Tutorial", MIT Press. London, England.